كتابي 5

سلسلة تعليم اللغة العربية

مناسب للدراسة الابتدائية السنة الخامسة

MY BOOK 5

Arabic Language Teaching Series

Suitable for Primary School, Year 5

عاتكة عمار السعدي

ATTIKA A. AL-SADI, B.Sc.

m m BOOKS

بسم الله الرحمن الرحيم

شكر

تتقدم المؤلفة بالشكر الجزيل لكل من ساهم في إبداء الاقتراحات والملاحظات ،

وكل من ساهم في عملية الإخراج الفني للكتاب . كما تتقدم بالشكر للفنانة نسرين زيدان على تنفيذها

الرسومات المصاحبة لمواضيع الكتاب ورسومات الغلاف .

الطبعة الرابعة 1439هـ/ 2018م

جميع الحقوق محفوظة

لا يجوز إعادة إنتاج أي جزء من هذا الكتاب ، ولا خزنه في أي وسيلة استرجاعية ،

ولا إرساله ، بأي شكل أو واسطة ، سواء أكانت إلكترونية أم ميكانيكية أم بالتصوير أم بالتسجيل أم غيرها ،

بدون الموافقة المسبقة من الناشر .

Fourth corrected edition 2018
Third edition 2017
Second corrected edition 2015
First published 2014

© Attika A. Al-Sadi 2014, 2015, 2017, 2018

My Book 5: ISBN 978-1-908871-45-9

M M Books
PO Box 472
RUISLIP HA4 4JE
United Kingdom

Tel: (0044) 7810 384499
www.mmbooks.co.uk
Email: mmbks@nildram.co.uk; info@mmbooks.co.uk; sales@mmbooks.co.uk

Book design: **M M Books**

Contents المحتوى

| 5 | Introduction | مقدمة |

| 7 | **UNIT 1** | الوحدة الأولى |

8	Back to school	1 عدنا إلى المدرسة
14	Exercises	التمارين
17	I prepare my lessons	2 أحضر دروسي
22	Exercises	التمارين
25	Where are you from?	3 من أين أنتَ؟ من أين أنتِ؟
29	Exercises	التمارين

| 33 | **UNIT 2** | الوحدة الثّانية |

34	I buy my food and my things	4 أشتري طعامي وحاجياتي
41	Exercises	التمارين
45	Parts of my body	5 أتعرف على أجزاء الجسم
50	Exercises	التمارين
54	School necessities	6 لوازم المدرسة
59	Exercises	التمارين

| 63 | Test 1 | إختبار 1 |

| 73 | **UNIT 3** | الوحدة الثالثة |

74	My new home	7 بيتي الجديد
80	Exercises	التمارين
84	My room and furniture	8 غرفتي وأثاثي
90	Exercises	التمارين
94	My appearance and clothes	9 شكلي وملابسي
99	Exercises	التمارين

103	UNIT 4	الوحدة الرابعة
104	At the airport	10 في المطار
109	Exercises	التمارين
112	At the seaport	11 في الميناء
117	Exercises	التمارين
120	The summer holiday	12 عطلة الصيف
125	Exercises	التمارين
129	Test 2	إختبار 2
139	UNIT 5	الوحدة الخامسة
140	When is my birthday?	13 في أي يوم ميلادي؟
146	Exercises	التمارين
150	Days of the week	14 أيام الأسبوع
155	Exercises	التمارين
160	My electronic games	15 ألعابي الإلكترونية
165	Exercises	التمارين
169	UNIT 6	الوحدة السادسة
170	My relatives	16 أقاربي
176	Exercises	التمارين
180	I fast in Ramadan	17 أصوم رمضان
186	Exercises	التمارين
191	I like Eid	18 أحب العيد
197	Exercises	التمارين
201	Test 3	إختبار 3

مقدمة

"كتابي 5" هو الكتاب السادس في سلسلة كتابي لتعليم القراءة والكتابة في اللغة العربية للمبتدئين، وهو معد للتلاميذ من عمر تسع إلى عشر سنوات (9-10) سنوات (المرحلة الإبتدائية السنة الـخامسة).

وعلى غرار الكتب السابقة لسلسة كتابي، يتكون هذا الكتاب من ست وحدات، حيث يحتوي كل فصل دراسي على وحدتين ليناسب الفصول الدراسية المتبعة في أغلب مدارس المملكة المتحدة.

تحتوي دروس هذا الكتاب على مواضيع وقصص يحتاجها التلميذ في حياته اليومية، وكما فعلنا في "كتابي 3" و "كتابي 4" فقد قمنا بسرد القصص والمواضيع بشكل تدريجي من السهل إلى الصعب ليتمكن التلميذ من فهمها والاستفادة من مواضيعها، وذلك لتحقق الغرض الذي وضعت من أجله. وتتضمن مواضيع الكتاب أيضاً مفردات وتعابير جديدة لم يسبق للتلميذ أن درسها في الكتب السابقة، إضافة إلى المفردات التي تعلمها، وذلك حرصاً منا على إغناء رصيد التلميذ من المفردات والمصطلحات التي تناسب هذه المرحلة من العمر.

وقد بدأنا في هذا الكتاب بإضافة فقرة "عبارات" والتي تتضمن بعض العبارات التي وردت في قصة الدرس وذلك لتمكين التلميذ من فهم الدرس واستيعابه بشكل أفضل.

وكما فعلنا في كتب السلسلة السابقة، فإن "كتابي 5" يحتوي على ترجمة باللغة الإنكليزية لجميع المفردات الجديدة الواردة في موضوع الدرس، بالإضافة إلى بعض المفردات التي سبق للتلميذ أن تعلمها في الكتب السابقة والتي تعتبر كمراجعة له، مراعين بذلك دور أولياء أمور بعض التلاميذ غير الناطقين باللغة العربية، ليتمكنوا من مساعدة أبنائهم في فهم الدرس وتحضيره. هذا إضافة إلى الصور المرافقة للدرس والمعبرة عن أحداث القصة لتسهل للتلميذ فهم الدرس واستيعابه.

يحتوي "كتابي 5" على أسئلة يقوم التلميذ بالإجابة عليها شفهياً كما في "كتابي 4"، وذلك من خلال النظر إلى بعض الصور المرافقة لقصة الدرس، فهي تمكن التلميذ من التعبير عن ما يراه في هذه الصور، وذلك باستخدام المفردات والعبارات التي تعلمها، وهذا بدوره يكسب التلميذ مهارة التحدث باللغة العربية.

أما بالنسبة إلى تمارين الإستماع فقد قمنا بوضع أسئلة يجيب عليها التلميذ بعد أن يستمع إلى جمل تتحدث عن قصة الدرس. وقد استخدمنا في هذا الكتاب جملاً تناسب التلميذ في هذه المرحلة، بغية تقوية مهارة التلميذ السمعية وتعزيز ثقته بنفسه من خلال سماع مفردات اللغة وفهمها والإجابة عليها.

بدءاً من هذا الكتاب قمنا بإعطاء تمارين كتابية تحتوي على مفردات باللغة الإنكليزية، حيث يُطلب من التلميذ ترجمتها إلى اللغة العربية مما يساعده على فهم معاني مفردات الدرس التي تعلمها وإتقانها؛ وهو ما يعتبر أيضاً تنويعاً في التمارين كي لا يتسرب الملل إلى التلميذ.

يحتوي هذا الكتاب كما الكتب التي سبقته على ثلاثة اختبارات، واحداً بعد كل وحدتين دراسيتين، الهدف منها هو معرفة مستوى التلميذ من خلال ما تعلمه في الدروس السابقة. أيضاً، تلقي الاختبارات الضوء على نقاط الضعف لدى التلميذ مما يعطي فرصة كبيرة للمعلم للتركيز في الدروس القادمة على هذه النقاط ومعالجتها بطرق التدريس الصحيحة، وذلك للنهوض بالمستوى المطلوب للتلميذ وتحقيق نتائج أفضل.

وقد قمنا بوضع كتاب "قواعد اللغة العربية 2" كما فعلنا في الكتاب السابق والذي يتضمن مواضيع مختلفة في قواعد اللغة العربية، بالإضافة إلى المواضيع التي درسها التلميذ في كتاب "قواعد اللغة العربية 1" وبشكل أوسع، ليناسب مستوى التلميذ في هذه المرحلة.

ونحن نأمل بوضعنا لهذا الكتاب أن نكون قد وفقنا لتقديم ثروة لا بأس بها من المفردات والجمل، والتي تمكن التلميذ من التحدث والتعبير بهذه اللغة المهمة. وأملنا أن تحقق هذه الكتب الغاية التي نصبوا إليها.

ولا يفوتنا هنا أن نذكّر بدور المعلم والذي يعتبر الركيزة الأساسية في عملية التعليم، وذلك من خلال اختيار الطرق الصحيحة والمناسبة في التدريس لتحقيق الأهداف التي من أجلها وضعنا هذه السلسلة.

والله ولي التوفيق

المؤلفة

الوحدة الأولى

UNIT 1

1 عُدْنا إلى الـمَدرسة

القِراءة
Reading

إِسْمِي مَرْوَة، وَعُمْري عَشْرُ سَنَواتٍ. أَنا فِي الصَّفِّ الـخامِسِ فِي الـمَدْرَسةِ الإبْتِدائِيَّةِ.

الـيَوْمُ هُوَ أَوَّلُ يَوْمٍ فِي الـمَدْرَسةِ. أَسْتَيْقِظُ كُلَّ يَوْمٍ فِي السّاعَةِ السّابِعَةِ صَباحاً. أَتَناوَلُ طَعامَ الفُطُورِ ثُمَّ أَلْبَسُ مَلابِسَ الـمَدْرَسةِ، أُقَبِّلُ أَبِي وَأُمِّي وَأَقُولُ لَهُما مَعَ السَّلامَةِ.

بَيْتِي قَرِيبٌ مِنَ الـمَدْرَسةِ، أَلْتَقِي بِصَدِيقَتِي أَلَيْنا ثُمَّ نَمْشِي سَوِيَّةً إلى الـمَدْرَسةِ.

مَدْرَسَتِي كَبِيرَةٌ وَمُكَوَّنَةٌ مِنْ طابِقَيْنِ، وَفِيها صُفُوفٌ كَبِيرَةٌ وَمُخْتَبَراتٌ وَغُرَفٌ لِلْحاسِباتِ، وَأَيضاً حانُوتُ الـمَدْرَسةِ.

تَلاميذُ مَدْرَسَتِي مِنْ بِلادٍ مُخْتَلِفَةٍ وَأَدْيانٍ مُخْتَلِفَةٍ. يُقَدِّمُ حانُوتُ الـمَدْرَسَةِ الطَّعامَ الحَلالَ لِأَنَّ هُناكَ مُسْلِمِينَ فِي الـمَدْرَسَةِ.

قَبْلَ بَدْءِ الدَّوامِ، تَحَدَّثْنا أَنا وَصَدِيقَتِي أَلِيْنا وَبَعْضُ التِّلْمِيذاتِ عَن عُطْلَةِ الصَّيْفِ وَكَيْفَ قَضَيْنا العُطْلَةَ.

اليَوْمَ عِنْدِي خَمْسَةُ دُرُوسٍ، هِيَ: الرِّياضِيّاتُ وَاللُّغَةُ الإِنْجِلِيزِيَّةُ وَالعُلُومُ وَعِلْمُ الحاسُوب وَدَرْسُ الرِّياضَةِ. أُحِبُّ دَرْسَ العُلوم وَ أُمِّي تُساعِدُنِي كَثِيراً فِي عَمَلِ الْواجِبِ البَيْتِيِّ.

إِنْتَهت الـمَدْرَسَة فِي السّاعَةِ الثّالِثَة. مَشَيْنا أَنا وَأَلِيْنا وَنَحْنُ نَتَحَدَّثُ عَنِ الـمَدْرَسَةِ. وَصَلَت أَلِيْنا إِلى بَيْتِها، ثُمَّ وَصَلْتُ أَنا إِلى البَيْتِ. كانَ يَوْماً مُمْتِعاً.

التعبير الشفهي

Oral expression

أَجِبْ على الأسئلَةِ شَفَهِيّاً

Answer the questions orally

مَنْ (who) تُشاهِدُ في الصّورةِ الأُولى؟

مَنْ تُشاهِدُ فِي الصُّورَةِ الثّالِثَةِ؟ وَعَنْ ماذا يَتَحَدَّثْنَ (about what)؟

ماذا تَفْعَلُ (what are they doing) مَرْوَة وَأَلَيْنا ؟ وَإِلى أَيْنَ (where) تَذْهَبان؟

مفردات
Vocabulary

إسم	countries : بِلاد		my age : عُمْري
	different : مُخْتَلِفَة	إسم	primary : الإبْتِدائِيَّة
إسم	religions : أَدْيان		first day : أَوَّلُ يَوْمٍ
فعل	gives : يُقَدِّم	فعل	I wake up : أَسْتَيْقِظ
	Halal food : الطَّعامُ الحَلال	فعل	I wear : أَلْبَس
	beginning of school : بَدْءُ الدَّوام	إسم	clothes : مَلابِس
فعل	We talked : تَحَدَّثْنا	فعل	I kiss : أُقَبِّل
	some : بَعْض	فعل	I meet : أَلْتَقِي
	I have : عِنْدِي	فعل	We walked : نَمْشِي
فعل	She helps me : تُساعِدُني		together : سَوِيَّةً
فعل	She arrived : وَصَلَت		contains : مُكَوَّنَة
	enjoying : مُمْتِعاً	إسم	two floors : طابِقَيْن

أَتَناوَلُ طَعامَ الفُـطُـورِ : I have breakfast

عبارات
Expressions

مَعَ السَّلامَة : Goodbye

عُطْلَة الصَّيْف : summer holiday

عَمَل الواجِب البَيْتِيّ : doing the homework

أَتَذَكَّرُ أَنَّ I remember that

وَ and   مع with

فِي   إلى   بِ
in/at   to   with

أسماء
nouns

مَرْوَة ، اليَوم ، مَدْرَسَة ، مَلابِس ، طَعام ، صَدِيق

غُرْفَة ، حانُوت ، مُخْتَبَر ، صُفُوف ، تِلْمِيذات ، بَيْت

أفعال
verbs

أَسْتَيْقِظ ، أُصَلّي ، أَتَناوَل ، أَلْبَس ، أَقُول ، أَلْتَقِي

نَـمْشِي ، يُقَدِّم ، تَـحَدَّثْنا ، قَضَيْنا ، أُحِب ، أَتَعَلَّم

تُساعِدُنِي ، إنْتَهَيْنا ، مَشَيْنا ، وَصَلَت

الأضداد
Opposites

far	بَعيد	≠	close	قَريب
few	قَليل	≠	many	كَثير
began	بَدَأت	≠	finished	إنْتَهت

أُنظُر وَاقرأ Look and read

مُخْتَبَر

غُرْفَة حاسِبات

حانُوت

الرِّياضِيّات

اللُّغَة الإِنْجِليزيَّة

العُلُوم

عِلْمُ الـحاسُوب

الرِّياضَة

الإملاء Spelling

مَروَة: أَسْتَيْقِظُ كُلَّ يَومٍ فِي السّاعَةِ السّابِعَةِ صَباحاً. أَتَناوَلُ طَعامَ الفُطُورِ ثُمَّ أَلبَسُ مَلابِسَ المَدْرَسَةِ. أُقَبِّلُ أَبِي وَأُمِّي وَأَقُولُ لَهُما مَعَ السَّلامَةِ.

أُنظُر واكتُب Look and write

تَلامِيذُ مَدْرَسَتِي مِنْ بِلادٍ مُخْتَلِفَةٍ وَأَدْيانٍ مُخْتَلِفَةٍ. يُقَدِّمُ حانُوتُ المَدْرَسَةِ الطَّعامَ الحَلالَ لِأَنَّ هُناكَ مُسْلِمِينَ فِي المَدْرَسَةِ.

التمارين   Exercises

تــمرين استماع   Listening exercise

---

١) إرسِمْ دائِرَةً حَولَ الصُّورَةِ الّتي تَسْمَعُ اِسْمَها:

Draw a circle around the picture that you hear:

يَذكُرُ الـمُعَلِّمُ اِسـمَ صُورَةٍ واحِدَةٍ مِن كُل زَوجٍ، أو يَستَخدِمُ خَيارات الـقُرصِ الـمُدمَج.

The teacher chooses the name of one picture from each pair, or use the choices on the CD

  **2**		  **1**	
  **4**		  **3**	

تــمارين كتابة   Writing exercises

---

٢) رَتِّبِي الكَلِماتِ التّاليَةَ لِتُصبِحَ جُمَلاً:

Arrange the following words to make sentences:

فِيها - مَدْرَسَتِي - مِن - مُخْتَلِفَة - تَلامِيذ - وَأَدْيان - مُخْتَلِفَة - بُلْدان

طَعامَ - أَلْبَسُ - ثُمَّ - الفُطُورِ - مَلابِسَ - المَدْرَسَةِ - أَتَناوَلُ

----

3) إملأ الفَراغَ بالكَلِمةِ المُناسِبَة:

Fill in the spaces with the suitable words:

1. أُحِبُّ دَرْسَ................................ (العُلُوم - اللُّغَة الإنْجِلِيزِيَّة)

2. .... أَبِي وَأُمِّي وَأَقُولُ لَهُما مَعَ السَّلامَةِ. (أَضْحَكُ - أُقَبِّلُ)

3. كانَ أَوَّلُ يَوْمٍ فِي المَدْرَسَةِ يَوْماً .... (مُمْتِعاً - طَوِيلاً)

4. اليَوْم عِنْدِي................................دُروس هِيَ: الرِّياضِيّاتُ وَاللُّغَةُ الإنْجِلِيزِيَّة وَالعُلُومُ وَعِلْمُ الحاسُوب وَدَرسُ الرِّياضَة. (خَمْسَة - سَبْعَة)

4) إرسِمْ خَطّاً تَحتَ الإِسْمِ وَخَطَّيْنِ تَحتَ الفِعْلِ وثَلاثَ خُطُوطٍ تَحتَ الحَرفِ:

Draw one line under the noun, two lines under the verb and three lines under the preposition:

إِنْتَهَت المَدْرَسَة فِي السّاعَةِ الثّالِثَةِ. مَشَيْنا أَنا وأَلَيْنا وَنَحْنُ نَتَحَدَّثُ عَنِ المَدْرَسَةِ. وَصَلَتْ أَلَيْنا إِلى بَيْتِها. ثُمَّ وَصَلْتُ أَنا إِلى البَيْتِ. كانَ يَوْماً مُمْتِعاً.

5) أُرْبُطي بَيْنَ الكَلِمَةِ ومَعْناها: Connect each word with its meaning:

يُقَدِّم	★	★	enjoyable
مُمْتِعاً	★	★	different religions
أَدْيانٌ مُخْتَلِفَة	★	★	offers

6) أُرْبُط بَيْنَ الكَلِمَةِ وضِدِّها: Connect each word with its opposite meaning:

كَثِير	★	★	قَرِيب
إِنْتَهَت	★	★	قَلِيل
بَعِيد	★	★	بَدَأَت

2 أُحَضِّرُ دُرُوسِي

القِراءة

Reading

إِسْمِي سَناء أَعُودُ كُلَّ يَوْمٍ مِنَ الْـمَدْرَسَةِ فِي السَّاعَةِ الثَّالِثَةِ وَالنِّصْفِ بَعْدَ الظُّهْرِ.

بَعْدَ أَنْ أَخْلَعَ مَلابِسِي وَأَغْسِلُ يَدِي وَأُصَلِّي، أَتناوَلُ طَعامَ الْغَداءِ مَعَ أَبِي وَأُمِّي وَأَخِي الصَّغِيرِ رامِي. بَعْدَها أَكْتُبُ واجِبي الْبَيْتِيِّ. وَلأَنِّي أُحِبُّ دَرْسَ اللُّغَةِ الإِنْجِلِيزِيَّةِ، أَسْتَعِيرُ قِصَّةً مِنْ مَكْتَبَةِ الْـمَدْرَسَةِ وَأَقْرَأُها قَبْلَ النَّوْمِ فِي سَرِيرِي. تَقُولُ مُعَلِّمَةُ اللُّغَةِ الإِنْجِلِيزِيَّةِ أَنِّي لامِعَةٌ جِدّاً وَتَطْلُبُ مِنِّي دائِماً أَنْ أَقْرَأَ مَوْضُوعِي الَّذِي أُحَضِّرُهُ فِي الْبَيْتِ أَمامَ التَّلامِيذِ.

أَمّا دَرْسا الرِّياضِيّاتِ وَالْعُلُومِ فَإِنَّ والِدِي يُساعِدُنِي فِي عَمَلِ الْواجِبِ الْبَيْتِيِّ وَخاصَّةً دَرْسُ الرِّياضِيّاتِ فَهُوَ أَصْعَبُ مِنْ دَرْسِ الْعُلُومِ.

فِي دَرْسِ الرِّيَاضَةِ تَطْلُبُ الْـمُعَلِّمَةُ مِنّا أَنْ نَجْرِيَ حَوْلَ مَلْعَبِ الْـمَدْرَسَةِ ثَلاثَ مَرّاتٍ وَلِذلِكَ أَشْعُرُ بِتَعَبٍ كَبِيرٍ.

دَرْسُ الرَّسْمِ هُوَ دَرْسِيَ الْـمُفَضَّلُ. أُحِبُّ الرَّسْمَ كَثِيراً، رَسَمْتُ أَحَدَ الْآثارِ الْـمُهِمَّةِ فِي الْعالَمِ وَهِيَ الْأَهْراماتُ وَأَعْجَبَ رَسْمِي الْـمُعَلِّمَةَ فَعَلَّقَتْهُ عَلى أَحَدِ جُدرانِ الْـمَدْرَسَةِ.

التعبير الشفهي
Oral expression

أَجِيبِي على الأسئلةِ شَفَهِيّاً
Answer the questions orally

ماذا (what) تَفْعَلُ سَناءُ فِي الصُّورَةِ الثانية؟

مَنْ تُشاهِدُ فِي الصُّورَةِ الثّالثة؟ وماذا يفعلون (what are they doing)؟

مفردات
Vocabulary

الثّالِثَة والنِّصْف : half past three	أَعُودُ : I come back
حَرف شَمْسِي sun letter	كُلَّ يَوْمٍ : every day

بَعْدَ الظُّهر: afternoon حَرف شَمْسِي sun letter	أَشْعُرُ : I feel
أَخْلَع : I take off	تَعَب : tiredness
أُصَلِّي : I pray	الْمُفَضَّل : favourite حَرف قَمَري moon letter
طَعام الْغَداء : the lunch حَرف قَمَري moon letter	رَسَمْتُ : I drew
بَعْدَها : after that	الآثار : the monuments
أَكْتُب : I write	الْمُهِمَّة : important حَرف قَمَري moon letter
وَلأَنّي : because I am	الْعالَم : the world حَرف قَمَري moon letter
أَسْتَعِير : I borrow	الْأَهْرامات : the Pyramids حَرف قَمَري moon letter
لامِعَةٌ : bright	أَعْجَبَ : It impressed
مَوضوعِي : my subject	عَلَّقَتْهُ : She hung it up
الّذي أُحَضِّرُهُ : that I prepare	أَحَد : one
خاصَّةً : especially	جُدران : walls

أَتَعَلَّمُ أَنَّ I learn that

sun letters الْحُروف الشَّمْسِيَّة

الثّالِثَة ، النِّصْف ، الظُّهْر
الرِّياضِيّات ، الرَّسْم

moon letters الْحُروف القَمَرِيَّة

الْغَداء ، الْـمُفَضَّل ، الْـمَدْرَسَة
الْـمُهِمَّة ، الْعالَم

The sun letters are the letters that are <u>NOT</u> pronounced with **ال** :

ت ث د ذ ر ز س
ش ص ض ط ظ ل ن

You may add shaddah (ّ) over the sun letter after **ال**.

The moon letters are the letters that are pronounced with **ال** :

أ ب ج ح خ ع غ
ف ق ك م هـ و

You may add sukoon (ْ) over the laam **ل**.

الإملاء Spelling

سَناء: دَرْسُ الرَّسْمِ هُوَ دَرْسِيَ المُفَضَّلُ. رَسَمْتُ أَحَدَ الآثارِ المُهَمَّةِ فِي العالِمِ وَهِيَ الأَهْراماتُ وَأَعْجَبَ رَسْمِي المُعَلِّمَةَ فَعَلَّقَتْهُ على جُدرانِ المَدْرَسَةِ.

أُنظُر وَاكتُب Look and write

تَقُولُ مُعَلِّمَةُ اللُّغَةِ الإِنْجِلِيزِيَّةِ أَنِّي لامِعَةٌ جِدّاً وَتَطْلُبُ مِنِّي دائِماً أَنْ أَقْرَأَ مَوْضُوعِي الَّذِي أُحَضِّرُهُ فِي الْبَيْتِ أَمامَ التَّلامِيذِ.

التمارين   Exercises

تـمرين استماع   Listening exercise

---

1) إِسْتَمِعْ إِلى السُّؤال، ثَمَّ ضَعْ ✕ في الْمُرَبَّعِ أَمامَ الْجُمْلَةِ الصَّحِيحَةِ:

Listen to the question then put a ✕ in the correct box:

☐	وَأَخِي الصَّغِيرِ رامِي	☐	1. وَأُخْتِي الصَّغِيرة
☐	أَشْتَرِي قِصَّةً	☐	2. أَسْتَعِيرُ قِصَّةً
☐	الرَّسْمَ	☐	3. الرِّياضِيّات
☐	على أَحَدِ جُدْرانِ الـمَدْرَسَةِ	☐	4. فِي الـخِزانَةِ
☐	دَرْسِ اللُّغَةِ الإِنْجِلِيزِيَّة	☐	5. دَرْسِ العُلُوم
☐	الثّانِيَة وَالنِّصْف	☐	6. الثّالِثَة وَالنِّصْف
☐	عَمَلِ الواجِب البَيْتِي	☐	7. الرَّسْم

Writing exercises تمارين كتابة

2) رَتِّبِي الكَلِماتِ لِتُصْبِحَ جُمَلَةً: Arrange the words to make a sentence:

الـمَدْرَسَة - حَوْلَ - نَـجْرِي - ثَلاثَ - مَلْعَبِ - مَرّاتٍ

----

3) أُرْبُطْ بَيْنَ الفِعْل فِي العَمُودِ الأَيْمَن والتَعبير الـمُناسِب فِي العَمُودِ الأَيْسَرِ لِتُكَوِّنَ جُمْلَةً مُفِيدَةً.

Join between the verbs and the phrases to make sentences:

أُحِبُّ	طَعامَ الغَداءِ
أَرْسِمُ	مَلابِسِي
أَتَناوَلُ	دَرْسَ اللُّغَة الإِنْجِلِيزِيَّة
أَخْلَعُ	قِصَّةً
أَسْتَعِيرُ	الأَهْرامات

4) أُكْتُبْ كَلِماتٍ تَبْدَأُ بِالـحُروفِ التّالِيَةِ وَمَيِّزْ الـحَرفَ القَمَرِيَّ عَنِ الـحَرفِ الشَّمْسِيِّ بِوَضْعِ سُكون " ° " على اللّامِ قَبْلَ الـحَرفِ القَمَرِيِّ كَما في المِثالِ:

Write words that start with the following letters and show the moon letter by putting sukoon over the laam before the letter (follow the example):

ص : الصَّفّ ________ م : الْـمَدْرَسَة ________

1. ج : ______________ ، 2. س : ________________

3. ع : ______________ ، 4. أ : ________________

5) إخْتارِي الكَلِماتِ الـمُناسِبَة ورَتِّبيها لِتُكَوِّن جُمْلَةً وِفْقاً للصُّورَة:

Choose the suitable words to write sentences according to the pictures; you may use some words more than once:

الأَوْلادُ - يَأكُلُ - فِي - الفِراشِ - الـجَزَرَ - يَلْعَبُونَ - الوَلَدُ - التَّلامِيذُ

مثال: التَّلامِيذُ يَلْعَبُون.

1. ______________________________

2. ______________________________

3. ______________________________

3 مِنْ أَيْنَ أَنْتَ ؟ مِنْ أَيْنَ أَنْتِ ؟

القِراءة

Reading

سالِم: ما إِسْمُكَ؟

مَحْمُود: إِسْمِي مَحْمُود.

سالِم: كَيْفَ حالُكَ؟

مَحْمُود: بِخَير، والحَمْدُ لِلّه.

وَأَنت كَيْفَ حالُكَ؟

سالم: أنا بِخَير، والحَمْدُ لِلّه. مِنْ أَيْنَ أَنتَ؟

مَحْمُود: أنا مِن الصُّومال.

سالِم: أنتَ صُومالِي؟

مَحْمُود: نَعَم، أنا صُومالِيّ. مِنْ أَيْن أَنْتَ؟

سالِم: أَنا مِن بريطانْيا، أَنا بريطانِي.

مَحْمود: أنا سَعِيدٌ بِلِقاءِكَ.

سالِم: شُكْراً. وأنا أَيضاً سَعِيدٌ بِلِقائِكَ.

دانيَة: مَرحَباً. أَنا إِسْمِي دانِيَة.

سُوزان: مَرْحَباً دانِيَة. أَنا سُوزان، كَيْفَ حالُكِ؟

دانيَة: أَنا بِخَيْر، وَالْحَمْدُ لِلّه.

سُوزان: مِنْ أَيْنَ أَنتِ؟

دانية: أَنا مِنْ العِراق، أَنا عِراقِيّة. مِنْ أَيْنَ أَنْتِ؟

سُوزان: أَنا مِنْ مِصْر، أَنا مِصْرِيَّة.

دانيَة: أَنا سَعِيدَةٌ بِلِقاءِكِ.

سُوزان: شُكراً، وَأنا أيضاً سَعِيدةٌ بِلِقائِكِ.

التعبير الشفهي
Oral expression

أَجِبْ على الأسئلَةِ شَفَهِّياً

Answer the questions orally

مِنْ أَيْنَ مَحْمود؟ هو؟   مِنْ أَيْنَ دانِيَة؟ هِيَ؟

مَنْ أَيْنَ سالِم؟ هُوَ؟   مِنْ أَيْنَ سُوزان؟ هِيَ؟

(أتبادلُ الحوار مع صديقي أو صديقتي كما في القراءة)

عبارات
Expressions

ما إِسْمُكَ؟ : What is your name?	مذكر masculine
ما إِسْمُكِ؟ : What is your name?	مؤنث feminine

كَيْفَ حالُكَ؟ : How are you? — مذكر masculine

كَيْفَ حالُكِ؟ : How are you? — مؤنث feminine

أنا بِخَيْر : I am fine

مِنْ أَيْنَ أَنْتَ؟ : Where are you from? — مذكر masculine

مِنْ أَيْنَ أَنْتِ؟ : Where are you from? — مؤنث feminine

بريطانِي : British — مذكر masculine

عِراقِيّة : Iraqi — مؤنث feminine

أُنظُر وَاقرَأ Look and read

العِراق

عِراقِيّة

مصْر

مصْرِيّة

الصُومال

صُومالِي

برِيطانيا

برِيطانِي

الإملاء Spelling

دانيَة: أَنا مِنَ العِراق، أَنا عِراقِيَّة. مِن أَينَ أَنتِ؟

سُوزان: أَنا مِن مِصْر، أَنا مِصْرِيَّة. وَأَنا سَعِيدَةٌ بِلِقائِكِ

أُنظُر وَاكتُب Look and write

دانِية: أَنا مِنَ العِراق، أَنا عِراقِيَّة. مِنْ أَيْنَ أَنْتِ؟

سُوزان: أَنا مِنْ مِصْر، أَنا مِصْرِيَّة. أَنا سَعِيدَةٌ بِلِقاءِكِ.

Exercises التمارين

Listening exercise تمرين استماع

1) إِسْتَمِعْ إلى السُّؤال، ثَمَّ ضَعْ X في المُرَبَّعِ أَمامَ الجَوابَ الصَّحِيح:

Listen to the question then put a X in the correct box:

1. أَنا بِخَيْر	☐	أنا مِنَ الصُّومال	☐
2. أَنا بريطانِي	☐	أَنا عِراقِيَّة	☐
3. مَساءُ الخَيْر	☐	صَباحُ الخَيْر	☐
4. أَنا بِخَيْر والحَمْدُ لله	☐	مَرْحباً	☐
5. وَأنا أيضاً سَعِيدةٌ بِلِقائِكِ	☐	وَأنا أيضاً سَعِيدٌ بِلِقائِكَ	☐

Writing exercises تمارين كتابة

2) أُرْبُطِي بَيْنَ العِبارَةِ فِي العَمودِ الأَيمَنِ وَما يُناسِبها فِي العَمودِ الأَيسَرِ:

Draw a line between each part of a sentence on the right with the part that completes it on the left:

1. أنا سعيدٌ بِلقاءِكَ	أَنا مِصْرِيَّة.
2. مِنْ أَيْن أَنْتَ؟	أنا بِخَير والحَمْدُ لله
3. أَنا مِنْ مِصْر	إِسْمي دانية
4. كَيْفَ حالُكَ؟	وأنا أَيضاً سَعيدٌ بِلقاءِكَ
5. مَرْحَباً	أَنا مِن الصُّومال
6. ما إِسْمُكِ	مَرحَباً

3) إقْرَأ الجُمَلَ التّالِيَةَ وضَعْ عَلامَة √ أو X بِما يُناسِب ثُمَّ صَحِّح الخَطَأ:

Read each sentence and put √ if it is right and X if it is wrong, and correct the wrong sentence:

1. سالِمُ مِنَ بريطانِيا. هُوَ بريطانِيَّة.

الصَّحيح ← ....

2. سُوزان مِنَ مِصْر. هِيَ مِصْرِيَّة.

الصَّحيح ← ....

3. مَحْمود: أنا سَعِيدةٌ بِلقاءِكَ.

الصَّحِيح ← ....

4. مَحْمود مِنَ الصّومال. هِيَ صومالِي. ☐

الصَّحيح ⟵ ....

5. سوزان:كَيْفَ حالُكَ؟، دانيَة: أنا بِخَيْر وَالْحَمْدُ لِله. ☐

الصَّحيح ⟵ ....

4) أَضيفي البلد+ي / البلد+ية بِما يُناسِبُ الصُّورة:

Add the correct ending البلد+ي / البلد+ية:

1. أَنا بِنْتٌ مِنَ السُّودان. أَنا ....

2. أَنا وَلَدٌ مِنَ العِراق. أَنا ....

3. سَمير مِنَ الأُرْدُن. هُوَ ....

4. نَدى مِنْ بريطانيا. هِيَ ....

5. آمِنَة مِنْ مِصْر. هِيَ ....

6. كَريم مِنَ الصُّومال. هُوَ ....

5) إملأ الفَراغَ بِالحوارِ الصَّحِيح بَيْن سالِم ومَحْمُود ودانِيَة وَسُوزان:

Fill in the spaces of the parts of dialogue between Mahmood, Salem, Dania and Susan by writing the correct words from the brackets:

1. .... إسْمُكِ؟ (ما ، إسْمِي)

2. .... سُوزان. (إسْمِي ، حالُكِ)

3. .... والحَمد لله. (أنا سالِم ، أَنا بِخَيْر)

4. أنا مِنَ العِراق. أنا .... (عِراقِيَّة ، من الصُومال)

5. كَيْفَ .... (إسْمُكَ ، حالُكَ).

6) أُكتُبِي الكَلِمَةَ فِي المَكانِ المُناسِب:

Write the word in the suitable place:

مُدِير

سَلَّة

نَخْلَة

طاووس

شُبّاك

المُؤَنَّث	المُذَكَّر
----------	----------
----------	----------
----------	----------
----------	----------

الوحدة الثانية

UNIT 2

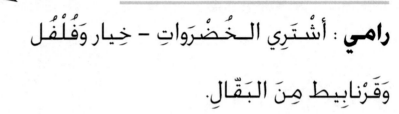

4 أَشْتَرِي طَعامِي وَحاجِياتي

القِراءة
Reading

رامي : أشْتَرِي الخُضْرَواتِ - خِيار وَفُلْفُل وَقَرْنابِيط مِنَ البَقّالِ.

سَمَر : أَشْتَرِي اللُّحُومَ والدَّجاجَ والسَّمَكَ مِنَ المَحَلِّ العَرَبِيِّ وَهُوَ يَبِيعُ اللَّحْمَ الحَلالَ.

سامِر : أَشْتَرِي الخُبْزَ الطّازَجَ والبَسْكَويتَ والكَعْكَ اللَّذِيذَ مِنَ المَخْبَزِ.

نُور : أَذْهَبُ إلى السُّوقِ وَأَشْتَرِي الحَلِيبَ وَاللَّبَنَ والجُبْنَ الَّذِي أُحِبُّهُ مِنَ المَحَلِّ القَرِيبِ مِنْ بَيْتِي.

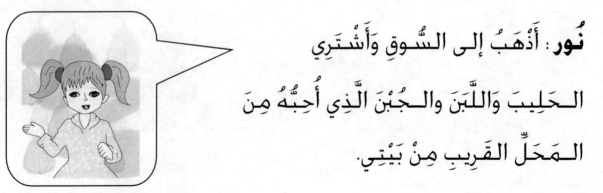

كَريم : أَذْهَبُ إِلى بائِعِ الصُّحُفِ وَأَشْتَرِي الصَّحِيفَةَ لِأَبِي، وَأَشْتَرِي مَجَلَّةَ أُخْتِي المُفَضَّلَةَ، وأَقْلاماً لِأَخِي الصَّغِير.
وَأَشْتَرِي لِأُمِّي حاجِياتِ البَيْتِ مِنَ المَتْجَرِ الكَبِيرِ - صابُونَ الصُّحونِ وصابُونَ المَلابِسِ، وَصابُونَ غَسِيلِ الشَّعْرِ ومَعْجُونَ الأَسْنانِ.

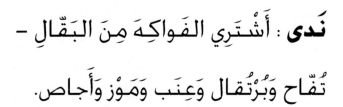

نَدى : أَشْتَرِي الفَواكِهَ مِنَ البَقّالِ - تُفّاح وَبُرْتُقال وَعِنَب وَمَوْز وَأَجاص.

سَعِيد : أَشْتَرِي الزَّيْتَ وَالشّايَ وَالسُّكَّرَ وَالمِلْحَ وَالطَّحِينَ مِنَ المَحَلِّ الكَبِيرِ فِي نِهايَةِ الشّارِعِ.

سَحَر : أَشْتَرِي حَلْوى وَشُوكُولاتَة وَعَصِيرَ التُّفّاحِ مِنَ المَحَلِّ الصَّغِيرِ القَرِيبِ مِن المَدْرَسَةِ.

أَجيبي على الأسئلةِ شَفَهِيّاً	التعبير الشفهي
Answer the questions orally	Oral expression

مِنْ أَيْنَ (from where) يَشْتَري رامي الـخُضْرَوات؟

ماذا يَشْتَري سامِر مِنَ الـمَخْبَزِ؟

ماذا يَشْتَري كَريـم لأُمِّهِ؟ / ماذا يَشْتَري سَعيد؟

مِنْ أَيْنَ تَشْتَري سَحَر الـحَلوى والشُّكُولاتَه؟

مفردات
Vocabulary

مَـجَلَّة : magazine	أَشْتَري : I buy
مُفَضَّلَة : favourite	يَبيع : He sells
الـبَقّال : the grocer	الطّازج : the fresh
حَلْوى : sweets	اللَّذيذ : the delicious

عبارات
Expressions

مَعْرِفَة {
- الـمَحَلّ العَرَبيّ : the Arabic shop
- اللَّحْم الـحَلال : halal meat
- الـخُبْز الطّازَج : fresh bread
}

مَعْرِفَة

بائِعُ الصُّحُف : newsagent

حاجِيات البَيْت : household goods

الـمَتْجَرُ الكَبِير : the big store

I remember that   أَتَذَكَّرُ أَنَّ

مَعْرِفَة

رامِي ، الـخُضْرَوات ، اللُّحوم ، الدَّجاج ، السَّمَك ،
الـخُبْز الطّازَج ، حاجِيات البَيْت ، الزَّيْت ، الشّاي
السُّكَّر ، عَصِير التُّفاح ، الـمَحَل الصَّغِير

نَكِرَة

خِيار ، فُلْفُل ، قَرْنابِيط ، تُفّاح ، بُرْتُقال ، عِنَب
مَوْز ، أَجاص ، حَلْوى ، أَقْلام ، شُوكُولاتَة

---

small الصَّغِير	≠	big الكَبِير
بدايَةِ الشّارِع	≠	نِهايَةِ الشّارِع
'beginning' of the street		end of the street
far بَعِيد	≠	close قَرِيب

الأضداد
Opposites

أُنْظُرْ وَاقْرَأْ — Look and read

 خُضْرَوات	 خِيار	 فُلْفُل	 قَرْنابِيط
 لُحُوم	 دَجاج	 سَمَك	 بَسْكَوِيت
 كَعْك	 مَخْبَز	 حَلِيب	 لَبَن
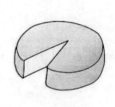 جُبْنَة	 أَقْلام	صابُون الصُّحُون	صابُون المَلابِس 

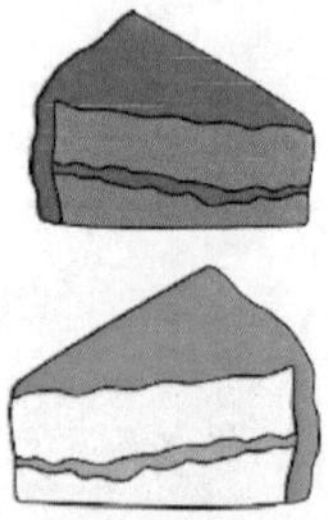

 أَجاص	 مَوْز	 عِنَب	 بُرْتُقال
 تُفّاح	 فَواكِه	 مَعْجُون الأَسْنان	 غَسِيل الشَّعْر
 الـمَلْح	 السُّكَّر	 الشّاي	 الزَّيْت
 عَصِير	 شُكُولاتَة	 حَلْوى	 طَحِين

الإملاء Spelling

أَشْتَرِي الصَّحِيفَةَ لِأَبِي، وَأَشْتَرِي حاجِياتِ البَيْتِ مِنَ المَتْجَرِ الكَبِيرِ. أَشْتَرِي اللُّحومَ وَالدَّجاجَ والسَّمَكَ مِن المَحَلِ العَرَبِيِّ وَهُوَ يَبِيعُ اللَّحْمَ الحَلالَ.

أُنظُر وَاكتُب Look and write

أَشْتَرِي الفَواكِهَ مِنَ البَقّالِ، تُفّاح وَبُرتُقال وَعِنَب وَمَوْز وَأَجاص.

أَشْتَرِي الزَّيتَ وَالشّايَ وَالسُّكَّرَ وَالمَلْحَ وَالطَّحِينَ.

التمارين   Exercises

تــمرين استماع   Listening exercise

---

1) إِرسِـمْ دائِرَةً حَولَ الصُّورَةِ الّتي تَسْمَعُ اِسْمَها:

Draw a circle around the picture that you hear:

يذكُرُ الـمُعَلِّمُ اِسـمَ صُورَةٍ واحِدةٍ مِن كلِّ زَوجٍ، أو يَستَخـدِمُ خَيارات القُرصِ الـمُدمَج.

The teacher chooses the name of one picture from each pair, or use the choices on the CD

  **2**	  **1**
  **4**	  **3**
 **6**	 **5**

تــمارين كتابة   Writing exercises

---

2) ضَعِي عَلامَةَ ✓ أو علامَةَ ✗ فِي الـمُرَبَّع بِـما يُناسِب:

Put either ✓ or ✗ in the appropriate box:

1. يَشْتَرِي سامِر الخُبْزَ الطّازَجَ والبَسْكَويت مَن البَقّال. ☐

2. يَشْتَري سَعِيد الزَّيتَ وَالشّايَ وَالسُّكَّرَ مِنَ المَخْبَز. ☐

3. تَشْتَري سَمَر اللُّحُومَ والدَّجاجَ والسَّمَكَ مِنَ المَحَلِّ العَرَبِيِّ وَهُوَ يَبِيعُ اللَّحْمَ الحَلالَ. ☐

4. يَشْتَرِي كَرِيم المَجَلَّةَ مِنْ بائِع الصُّحُف. ☐

5. يَشْتَرِي كَرِيم حاجِياتِ البَيْتِ مِنَ المَتْجَرِ الكَبِيرِ. ☐

3) إرْسِمْ خَطّاً بَيْنَ الكَلِمَةِ فِي الوَسَطِ وبَيْنَ كُلِّ كَلِمَةٍ تُناسِبُها:

In Each box, draw a line between the word in the middle and all the suitable words:

مَجَلَّة
قَرْنابِيط
خُضْرَوات
الحَلِيب
خِيار

مَوْز
تُفّاح
فَواكِه
مَلْح
طَحِين

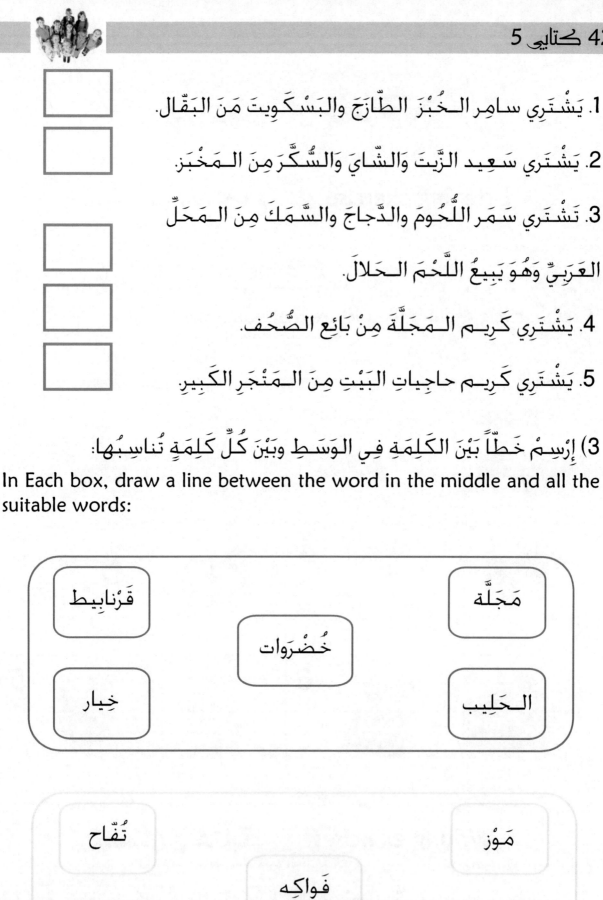

4) أُربُطي بَيْنَ الكَلِمَةِ وَضِدِّها:

Draw an arrow to join the opposite words:

نِهايَة ○	○ قَريب
بَعيد ○	○ كَبير
صَغير ○	○ بِدايَة

5) إِخْتَرْ الكَلِمَةَ/العِبارَةَ المُناسِبَةَ واكْتُبْها في الفَراغِ:

Choose the right sentence and write it in the space:

1. أَغْسِلُ أَسْناني .... (بِالمُشْطِ / بِالفُرْشاةِ وَالمَعْجُونِ)

2. أَشْرَبُ .... في الصَّباحِ. (الخُبْزَ / الحَليبَ)

3. أَشْتَري .... مِن بائِعِ الصُّحُفِ. (المَجَلَّةَ / صابُونَ الصُّحُونِ)

4. تَشْتَري البِنْتُ الكَعْكَ مِنَ .... (البَسْكَويت / المَخْبَز)

5. أَذْهَبُ إِلى .... لِأَشْتَرِيَ حاجِياتِ البَيْتِ. (المَطارِ / السُّوقِ)

6. أَشْتَري الزَّيتَ وَالشّايَ مَنَ .... (المَحَلِّ الكَبير / المَخْبَز)

6) رَتِّبِي الكَلِماتِ التالِيَةَ لِتُكَوِّنَ جُمْلَةً وَأَكْتُبِيها فِي الفَراغِ:

Arrange the following words to make sentences and then write them in the spaces below:

مَجَلَّةَ أُخْتِي - لِأَخِي - أَشْتَرِي - الصَّغِير - المُفَضَّلَة - وَأَقْلاماً

وَشُوكُولاتَةَ - مِن - أَشْتَرِي - المَحَلِّ الصَّغِيرِ - وَعَصِيرَ التُّفاحِ - حَلْوى

المَحَلِّ العَرَبِيِّ - اللُّحُومَ - والسَّمَكَ - مِنَ - أَشْتَرِي - والدَّجاجَ

البَسْكَوِيت - اللَّذِيذَ - المَخْبَزِ - أَشْتَرِي - والكَعْكَ - مَنَ

5 أَتَعَرَّفُ على أَجْزاءِ جِسْمي

القِراءةُ
Reading

فاطِمَة : مَنْ مِنْكُم يَعْرِفُ أَجْزاءَ الْجِسْمِ؟

طارِق : أَنا أَعْرِفُ أَجْزاءَ الْجِسْمِ:

الرَّأْسُ وَالرَّقَبَةُ وَالْيَدَيْنِ وَالْبَطْنُ وَالظَّهْرُ وَالرِّجْلَيْنِ وَالْقَدَمَيْنِ.

فاطِمَة : أَحْسَنْت. وَلَكِن هَلْ تَعْلَمُ ما هُوَ عَمَلُ الْيَدَيْنِ؟

طارِق : نَعَم. يَداي أُمْسِكُ بِهِما الأَشْياءَ، وَآكُلُ بِهِما الطَّعامَ وَأَكْتُبُ بِهِما واجِبي البَيْتِيَّ.

فاطِمَة : وَأَنْتَ يا كَرِيمُ، هَلْ تَعْلَمُ ما هُوَ عَمَلُ الرِّجْلَيْنِ؟

كَرِيم : نَعَم. رِجْلاي أَمْشِي بِهِما وَأَرْكُضُ، وَأَلْعَبُ كُرَةَ القَدَمِ فِي ساحَةِ المَدْرَسَةِ مَعَ أَصْدِقائِي.

فاطِمَة : وَأَنْتِ يا مَرْيَمُ، هَلْ تَعْرِفِين أَجْزاءَ الوَجْهِ؟

مَرْيَم : نَعَم. العَيْنانِ والأَنْفُ والفَمُ والأُذُنانِ.

فاطِمَة : وَما عَمَلُ كُلٍّ مِنْهُم؟

مَرْيَم : عَيْناي أَرى بِهِما الأَشْياءَ،

وَأَنْفِي أَشُمُّ بِهِ،

وَفَمِي أَتَكَلَّمُ بِهِ وَآكُلُ بِهِ الطَّعامَ،

وأُذُناي أَسْمَعُ بِهِما.

فاطِمَة : أَحْسَنْتُم يا إِخْوَتِي، أَنْتُمْ تَعْرِفُونَ كُلَّ أَجْزاءِ الْجِسْمِ وَالْوَجْهِ.

التعبير الشفهي
Oral expression

أَجِبْ على الأسئلَةِ شَفَهِّياً
Answer the questions orally

ما هِيَ (what are) أَجْزاءُ الْـجِسْمِ؟ / ما هُوَ عَمَلُ اليَديْنِ وَالرِّجْلَيْنِ؟

ما هِيَ (what are) أَجْزاءُ الوَجْهِ؟ / ماذا نَفعَلُ بِـ العَيْنَين، الأنفِ، الفَمِ، الأُذُنَينِ؟

مفردات
Vocabulary

He knows : يَـعْرِفُ	dual مُثَنّى I see with them : أَرى بِهِما
the body parts : أَجْزاءُ الْـجِسْـم	singular مُفرَد I smell with it : أَشُمُّ بِهِ
I touch : أُمْسِكُ	singular مُفرَد I talk with it : أَتَكَلَّمُ بِهِ
dual مُثَنّى with them : بِهِما	dual مُثَنّى I hear with them : أَسْمَعُ بِهِما
the face parts : أَجْزاء الوَجْه	plural جَمع you : أَنْتُم

عبارات
Expressions

who among you : مَنْ مِنْكُم	plural جَمع
(you) well done : أَحْسَنْتَ	singular مُفرَد
do you know : هَلْ تَعْلَم	singular مُفرَد
(you) well done : أَحْسَنْتُم	plural جَمع
my brothers and sisters : إِخْوَتي	plural جَمع

الرَّأس ، الرَّقَبَة ، الظَّهْر
البَطْن ، الفَمْ ، الأَنْف
(مُفرَد singular)

اليَدان ، الرِّجْلان ، العَيْنان ، الأُذُنان ، القَدَمان (مُثَنّى dual)

أَجْزاء ، إِخْوَتي (إخوة) (جَمع plural)

We add ان or ين to make a dual word.

أُنظُر وَاقرَأ Look and read

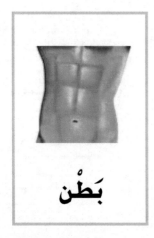

الرَّأس

الرَّقَبَة

يَد

بَطْن

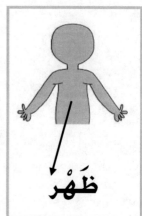

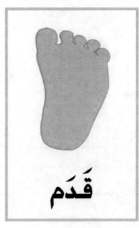

ظَهْر

رِجْل

قَدَم

عَيْن

وَجْه

أَنْف

فَم

أُذُن

الإملاء Spelling

طارِق: أَنا أَعْرِفُ أَجزاءَ الـجِسْمِ: الرَّأْسُ وَالرَّقَبَةُ وَاليَدَيْنِ وَالبَطْنُ وَالظَّهْرُ وَالرِّجْلَيْنِ وَالقَدَمَيْنِ. يَدايَ أُمْسِكُ بِهِما الأَشْياءَ، وَآكُلُ بِهِما الطَّعامَ وَأَكْتُبُ بِهِما.

أُنظُر وَاكتُب Look and write

مَرْيَم : عَيْنايَ أَرى بِهِما الأَشْياءَ ، وَأَنْفي أَشُمُّ بِهِ ،

وَفَمي أَتَكَلَّمُ بِهِ وآكُلُ بِهِ الطَّعامَ ، وأُذُنايَ أَسْمَعُ بِهِما .

- -

- -

- -

التمارين   Exercises

تـمرين استماع   Listening exercise

1) أُنْظُرْ إلى الصُّورِ التّالِيَةِ واسْتَمِعْ إلى القُرْصِ الـمُدْمَجِ وَارْسِـمْ دائِرَة حَوْلَ الصُّورَةِ الصَّحِيحَةِ:

Listen to the CD and draw a circle around the suitable picture:

	2		1

	4		3

Writing exercises تــمارين كـتابة

2) أُرْبُطْ بَينَ الـمَقْطَعِ فِي العَمُودِ الأَيـمَنِ بالـذي يُناسِبُهُ فِي العَمُودِ الأَيسَرِ:

Match each word/sentence in the right column to the suitable word/sentence in the left column:

أَحْسَنْتُم	أَكْتُبُ بهما واجِبي البَيْتِيَّ.
أُذُناي	أَجْزاءَ الوَجْه؟
يَداي	أَسْمَعُ بِهما.
هَلْ تَعْرِفِينَ	يا أَخَوَتي.

3) إرسِمْ خَطّاً واحِداً تَحتَ الكَلِماتِ الَّتِي تَدُلُّ على الـمُفْرَدِ وَخَطَّيْنِ تَحْتَ الـمُثَنّى وَثَلاثَةَ خُطُوطٍ تَحْتَ الْـجَمْعِ:

Draw a line under the singular words, two lines under the dual words and three lines under the plural words:

طارِق: أَنا أَعْرِفُ أَجْزاءَ الْـجِسْمِ. الرَّأسُ وَالرَّقَبَةُ وَاليَدَيْنِ وَالبَطْنُ وَالظَّهْرُ وَالرِّجْلِينِ وَالقَدَمَيْنِ.

مَريَـم: أَجْزاءُ الوَجْهِ هِيَ: العَيْنانِ والأَنْفُ والفَمُ والأُذنانِ.

4) أَمْلَئِي الفَراغاتِ مُسْتَعِينَةً بِالشَّكْلِ:

Fill in the spaces by using the pictures:

فَمِي	1. .... أَرى بِهِما الأَشْياءَ.
عَيْنايَ	2. .... أَلْعَبُ بِهِما كُرَةَ القَدَمِ.
أَنْفِي	3. .... أَتَكَلَّمُ بِهِ.
رِجْلايَ	4. .... أَشُمُّ بِهِ.

5) حَوِّلِ المُفْرَدَ إِلى مُثَنَّى وَصِلِ المُثَنَّى بِالصُّورَةِ المُناسِبَةِ (أَضِفْ **ين** أو **ان** في نِهايَةِ الكَلِمَةِ):

Convert the singular to dual and connect the dual to the suitable picture (add **ين** or **ان** at the end of the word):

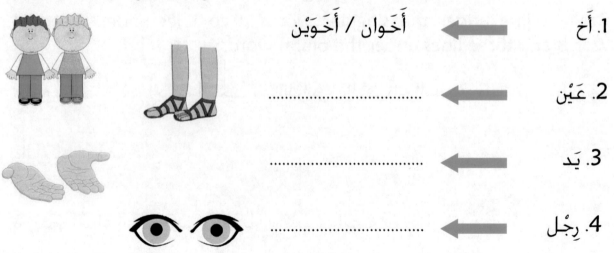

1. أَخ ← أَخَوان / أَخَوَيْن

2. عَيْن ← ....

3. يَد ← ....

4. رِجْل ← ....

6) صِفِي كُلَّ صُورَةٍ فِي جُمَلةٍ مُسْتَعِينَةً بِالكَلِماتِ:

Describe the picture by forming a sentence using the provided words:

أَجْزاءَ - مِنْكُم - الْجِسْمِ؟ - مَنْ - يَعْرِفُ

....

مَرْيَم : - العَيْنان - نَعَمْ - والأُذنان - والأَنف - وَالفَم

....

وآكُلُ - فَمِي - بِهِ الطَّعامَ - أَتَكَلَّمُ بِهِ

....

أُمْسِكُ - يَدي - الأَشْياءَ - بِها

....

لَوازِمُ الْمَدرَسَةِ   6

الْقِراءة
Reading

رامِي : أَيْنَ الْمِمْحاةُ؟

وَلِيد : هذِهِ الْمِمْحاةُ فَوْقَ الطّاوِلَةِ.

رامِي : أَعْطِنِي الْحاسِبَةَ. أُرِيدُ أَنْ أَسْتَعْمِلَها فِي دَرْسِ الرِّياضِيّاتِ.

وَلِيد : خُذْ هذِهِ حاسِبَةُ لِينَة، وَلكِنْ لا تَنْسَ أَنْ تُرْجِعَها إِلى لِينَة.

رامِي : نَعَمْ سَأَفْعَلُ. وَلكِنْ أَيْنَ الْمِبْراةُ وَأَيْنَ الْقَلَمُ؟

وَلِيد : هذِهِ الْمِبْراةُ فَوْقَ الرَّفِّ، وهذا الْقَلَمُ تَحْتَ الْكِتابِ.

رامِي : شُكْراً. هَلْ تُساعِدُنِي فِي حَلِّ مَسْأَلَةِ الرِّياضِيّاتِ؟

وَلِيد : بِالتَّأْكِيد. وَلكِنْ بَعْدَ أَنْ أَنْتَهِيَ مِنْ رَسْمِ خارِطَةِ العالَمِ.

رامِي : حَسَناً. سَأَنْتَظِر.

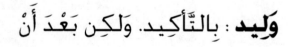

مُنى : هاتانِ الْمِسْطَرَتانِ أُرِيدُهُما.

سارَة : هاتانِ الْـمِسْطَرَتانِ، وَلا تَنْسَـي أَنْ تُرْجِعيهِما فِي حَقيبَتي.

مُنى : سَأَفْعَلُ. وَلكِن أَيْنَ الأَوْراقُ، أُريدُ أَنْ أَكْتُبَ واجِبَ دَرْسِ العُلُومِ؟

سارَة : هذِهِ الأَوْراقُ على الأَرضِ.

منى : شُكْراً. الآنَ أَسْتَطيعُ أَنْ أَكْتُبَ واجِبي البَيْتِيَّ.

زَيْنَب : هُنا هُنا، هذانِ الْكِتابانِ أُريدُ أَنْ أَشتَرِيهِما، وَهاتانِ الْـمِمْحاتانِ أيضاً، عِنْدي اِمْتِحانٌ غَداً.

ياسْمِين : وَهذانِ القَلمانِ جَميلانِ، وَهذِهِ مِحْفَظَةُ الأَقْلامِ مُلَوَّنَةٌ.

ماجِد : عِنْدَنا امْتِحانٌ، أَيْنَ يَذْهَبُ هؤلاءِ التَّلامِيذُ؟

أَكْرَم : هؤلاءِ التَّلامِيذُ يَذْهَبُونَ إِلى الْـمَكْتَبَةِ.

ماجِد : وَهؤلاءِ التِّلْميذاتُ؟

أَكْرَم : هؤلاءِ التِّلْميذاتُ يَذْهَبْنَ إِلى قاعَةِ الإِمْتِحانِ.

التعبير الشفهي
Oral expression

أَجيبي على الأسئلَةِ شَفَهِّياً

Answer the questions orally

طَلَبَ رامِي شَيْئَيْنِ (two things). ما هُما؟ / مَنْ (who) يُساعِدُ رامِي في دَرسِ الرِّياضِيّاتِ؟ / ماذا تُريد أَنْ تَشْتَرِي زَيْنَب؟ / لِماذا أَرادَت مُنى الأَوْراقَ؟

مفردات
Vocabulary

singular masculine إسْم إشارَة this : هذا	**singular feminine** إسْم إشارَة this : هذِهِ
you help me : تُساعِدُني	I want : أُرِيدُ
solve : حَلّ	I use it : أَسْتَعْمِلُها
problem : مَسْأَلَة	(you) take : خُذْ
I finish : أَنْتَهِي	(you) do not forget : لا تَنْسَ
draw : رَسْم	(you) give it back تُرْجِعَها
I will wait : سَأَنْتَظِر	I will do : سَأَفْعَل

plural feminine/masculine these : هـؤلاء	I can : أَسْـتَـطِـيع
plural feminine they are going: يَـذْهَـبْـنَ	examination : إِمْـتِـحـان

عبارات
Expressions

maths lesson : دَرْس الـرِّياضِـيّات

the world map : خـارِطَـة الـعـالَـم

these two rulers : هـاتـانِ الـمِـسْـطَـرَتـان

all right : حَـسَـنـاً

my homework : واجِـبِـي الـبَـيْـتِـيّ

these two books : هـذانِ الـكِـتـابانِ

the examination hall : قـاعَـة الإمْـتِـحـان

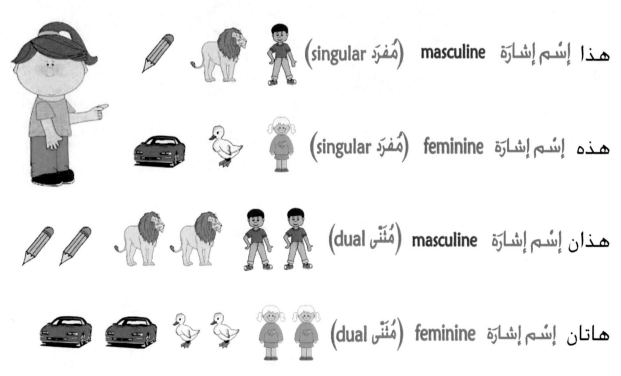

هـذا إسْـم إشـارَة masculine (مُفرَد singular)

هـذه إسْـم إشـارَة feminine (مُفرَد singular)

هـذان إسْـم إشـارَة masculine (مُثَنّى dual)

هـاتان إسْـم إشـارَة feminine (مُثَنّى dual)

هؤلاء إسْم إشارَة masculine / feminine (جَمع plural)

هذه إسْم إشارَة non-human (جَمع plural)

أُنظُر وَاقرأ Look and read

مِـمْحاة	حاسِبَة	الرِّياضِيّات	مِبْراة
مِسْطَرَة	العُلُوم	مِحْفَظَة الأَقْلام	مَكْتَبَة

الإملاء Spelling

زَيْنَب: هذانِ الْكِتابانِ أُريدُ أن أَشْتَريهِما، وَهاتانِ المِمْحاتانِ أيضاً.

ياسْمين: وَهذانِ القَلَمانِ جَميلانِ، وَهذِهِ مِحْفَظَةُ الأَقْلامِ مُلَوَّنَةٌ.

أُنْظُرْ وَاكْتُب   Look and write

هذانِ الْكِتابانِ أُريدُ أَنْ أَشْتَريهِما، وَهاتانِ الْـمِمْحاتانِ أيضاً، عِنْدي اِمْتحانٌ غَداً. وَهذانِ القَلمانِ جَميلانِ. وَهذهِ مِحْفَظَةُ الأَقْلامِ مُلَوَّنة.

‐‐‐

‐‐‐

‐‐‐

‐‐‐

التمارين   Exercises

تَـمرين استماع   Listening exercise

1) ضَعْ عَلامَةَ ✗ تَحْتَ الصُّورةِ التي تُناسِبُ الْـجُمْلَة التي تَسْمعها:
Put ✗ under the correct picture, according to what you hear:

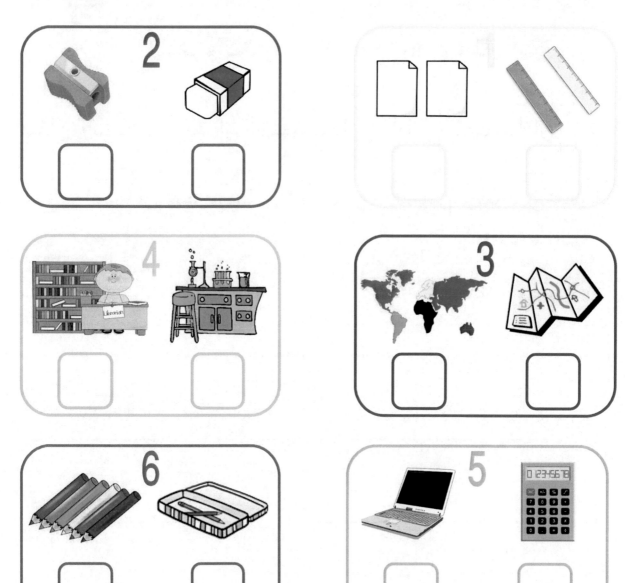

تـمارين كتابة   Writing exercises

2) إقْرَئِي السُّؤالَ ثُمَّ اخْتاري الْـجَوابَ الصَّحِيحَ وَاكْتُبِيهِ فِي الفَراغِ:

Read the question, choose the suitable answer and write it in the space:

1. ماذا أَرادَت زَيْنَب أَنْ تَشْتَرِي؟ .... (حاسِبَة ، كِتابان)

2. ماذا طَلَبَ وَلِيد مِنْ رامِي؟ ....

(أَن يُرْجِعَ الحاسِبَة إلى لِينة ، أن يَشْتَري حاسِبَة)

3. ماذا أرادت ياسْمِين أن تَشْتَرِي؟ .... (أَوْراق ، قَلَمان)

4. ماذا كان يَرْسِم وَلِيد؟ .... (وُرُود ، خارِطَة العالَم)

5. أَيْنَ كانت الأَوْراق؟ .... (على الرَّفّ ، على الأَرضِ)

6. إلى أَيْنَ ذَهَبَ التَّلامِيذ؟ .... (إلى السّاحَة ، الى المَكْتَبَة)

3) كَوِن جُمَلاً مُفِيدَةً بِالإسْتِعانَةِ بِالصُّوَرِ مِسْتَعْمِلاً أَسْماءَ إِشارَةٍ مُناسِبَةً:

Using simple sentences, describe these pictures using isharah pronouns (follow the example):

1. هذه حَقِيبَة. ....

2 ....

3 ....

4 ....

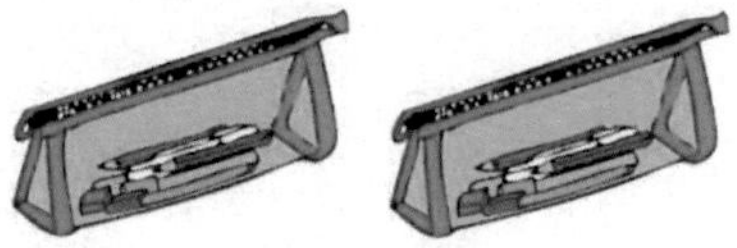

4) كَوِّني خَمْسَ جُمَلٍ باسْتِخْدامِ الْـجَدولِ التّالِي:

Form five sentences from the words in the table below:

هذا	التَّلامِيذُ		الـحَقِيبَةِ	....
هذان	الـمِمْحاةُ	فِي	الـمَكْتَبَةِ	....
هؤلاءِ	قَلَمٌ		الرَّفِّ	....
هذه	مِسْطَرَتان	على	الـمِحْفَظَةِ	....
هاتان	الكِتابان		الطّاوِلَة	....

5) أُكْتُب الـمَعنى الـمُقابِلَ بِاللُّغَةِ العَرَبِيَّة لِـما بَيْنَ الأَقواس:

Write, in Arabic, the meaning of the words between the brackets:

1. رامِي : .... (give me) الْـحاسِبَةَ. أُرِيدُ أَنْ أَسْتَعْمِلَها

فِي .... (maths lesson).

2. .... (these two) القَلَمان جَميلان. وَ .... (this)

.... (pencil case) مُلَوَّنَة.

3. رامِي: .... (where) الـمِبْراة وَأَيْنَ .... (the pencil)؟

4. .... (these) التِّلْمِيذاتِ يَذْهَبْنَ إِلى .... (the exam hall).

الإختبار الأول   **Test 1**

إختبار

أَجِبْ عَنِ الأَسْئِلَة. صَحِّح الأَجْوِبَةَ وَضَع الدَّرَجَةَ الـمُناسِبَة.

Answer the questions. Mark your answers and fill in your score.

- *Sentences for listening questions 2 and 3 are on the CD; alternatively, the teacher chooses the sentences and says them out aloud for each part of the questions.*

- هُناك 5 دَرَجات لِـجَودَةِ الـخَطِّ (5 marks are for good handwriting).

1 (أ) إِقْرَئي كُلاًّ من النُّصُوصِ التّالِيَةِ بِصَوتٍ عالٍ (درجة واحدة)

(ب) أَجيبي عَلى الأَسْئِلَةِ شَفَهِيّاً (درجتان):

(a)   Read the following text out loud (1 mark)
(b)   Answer the questions orally (2 marks):

1

مَروَة: اليَوْمَ عِنْدي خَمْسَةُ دُرُوسٍ، هِيَ: الرِّياضِيّاتُ واللُّغَةُ الإِنْجِليزِيَّةُ والعُلُومُ وعِلْمُ الـحاسُوبِ وَدَرْسُ الرِّياضَة. أُحِبُّ دَرْسَ العُلُومِ وأُمّي تُساعِدُني فِي عَمَلِ الواجِبِ البَيْتِيِّ.

1. كَمْ (how many) دَرْس عِنْدَ مَرْوَة؟ وَما هِيَ؟

2. أَيُّ (which) دَرْسٍ تُـحِبُّ مَرْوَة؟

/ 3

2

سَناء: دَرْسُ الرَّسْمِ هُوَ دَرْسِيَ الْـمُفَضَّلُ. أُحِبُّ الرَّسْمَ كَثِيراً، رَسَمْتُ أَحَدَ الْآثارِ الْـمُهِمَّةِ فِي الْعالَمِ وَهِيَ الْأَهْراماتُ وَأَعْجَبَ رَسْمِي الْـمُعَلِّمَةَ فَعَلَّقَتْهُ عَلى أَحَدِ جُدرانِ الْـمَدْرَسَةِ.

1. ما هُوَ (which) دَرْسُ سَناء الْـمُفَضَّلُ؟

2. ماذا (what) رَسَمَتْ سَناء؟ وَماذا فَعَلَت الْـمُعَلِّمَةُ؟ | 3 /

3

دانِيَة: أَنا بِخَيْرٍ، وَالْـحَمْدُ لِلّه.

سُوزان: مِنْ أَيْنَ أَنتِ؟

دانية: أَنا مِنَ العِراقِ، أَنا عِراقِيَّة. مِنْ أَيْنَ أَنتِ؟

سُوزان: أَنا مِنْ مِصْرَ، أَنا مِصْرِيَّة.

1. مِنْ أَيْنَ دانِيَة؟

2. مِنْ أَيْنَ سُوزان؟ | 3 /

4

كَرِيـم: أَذْهَبُ إِلَى بائِعِ الصُّحُفِ وَأَشْتَرِي الصَّحِيفَةَ لِأَبِي، وَأَشْتَرِي مَجَلَّةَ أُخْتِي الْـمُفَضَّلَةَ، وَأَقْلاماً لِأَخِي الصَّغِيرِ. وَأَشْتَرِي لِأُمِّي حاجِياتِ البَيْتِ مِنَ الْـمَتْجَرِ الكَبِيرِ.

1. لِـمَن (to whom) اِشْـتَرى كَـريـم الـصَّـحِـيفَـة؟

2. ماذا (what) اشْـتـرى كَـريـم لِأُمِّـهِ؟

/ 3

5

طارِق: يَداي أُمْسِكُ بِهِما الأَشْياءَ، وَآكُلُ بِهِما الطَّعامَ وَأَكْتُبُ بِهِما واجِبي البَيْتِيّ.

مَرْيَم: عَيْناي أَرى بِهِما الأَشْياءَ. وَأَنْفِي أَشُمُّ بِهِ. وَفَمِي أَتَكَلَّمُ بِهِ، وآكُلُ بِهِ الطَّعامَ. وأُذُناي أَسْمَعُ بِهِما.

1. بِـماذا (with what) نُـمْـسِكُ الأَشْـياء؟

2. بِـماذا (with what) نَرى الأَشْـياء؟ بِـمـاذا نَأكُلُ الطَّعام؟

/ 3

6

وَلِيد: هٰذِهِ الْـمِبْراةُ فَوْقَ الرَّفِّ. وهٰذا القَلَمُ تَـحْتَ الكِتابِ.

رامِي: شُكْراً. هَلْ تُساعِدُنِي فِي حَلِّ مَسْأَلَةِ الرِّياضِيّاتِ؟

وَلِيد: بِالتَّأْكِيد. وَلٰكِن بَعْدَ أَنْ أَنْتَهِيَ مِنْ رَسْمِ خارِطَةِ العالَم.

رامِي: حَسَناً. سَأَنْتَظِر.

1. أَيْنَ (where) الـمِبْراةُ؟ وَأَيْنَ القَلَمُ؟

2. ماذا طَلَبَ رامِي مِن وَلِيد؟ ماذا يَفْعَل وَلِيد؟

/ 3

2 إرسِمي دائرَةً حَولَ الصُّورَةِ الّتي تُناسِبُ الجُملَةِ الّتي تَسمَعينَها:

Draw a circle around the correct picture according to what you hear:

1

2

3

4

5

6

7

8

9

10

/ 10

3 إسْتَمِعْ إلى الـجُمْلَة وضَعْ خَطّاً تَـحْتَ الْـجَوابِ الصَّحيحِ داخِلَ الأقْواس:

Listen to the sentence and underline the correct answer between the brackets:

1. عُمْرُ مَروَة ← (10 سَنَوات) (9 سَنَوات)

2. تَقُولُ سَناء: ← (دَرْسُ الرِّياضِيّاتِ أَصْعَبُ مِنْ دَرْسِ الْعُلُومِ) (دَرْسُ العُلُومِ أَصْعَبُ مِنْ دَرْسِ الرِّياضِيّاتِ)

3. سالِم مِن بَريطانيا هُو ← (بَريطانِيّ) (بَريطانِيَّة)

4. يَشْتَري سامِر الـخُبْزَ الطّازَجَ ← (مِنَ البَقّال) (مِنَ الـمَخْبَز)

5. طارِق: يَدايَ ← (أَمْشي بِهِما) (آكُلُ بِهِما)

6. رامي يَسْتَعْمِلُ الحاسِبَة في ← (دَرْسِ الرِّياضِيّاتِ) (دَرْسِ الرِّياضَةِ)

7. مَرْوَة تَذْهَبُ إلى الـمَدْرَسَةِ ← (بِالباص) (مَشْياً)

8. رَسَمَت سَناء ← (الأَهْرامات) (الإسْكَنْدَرِيَّة)

9. يَذْهَب التَّلاميذُ إلى ← (الـمَكْتَبَةِ) (حانُوتِ الـمَدْرَسَةِ)

10. تَشْتَري سَحَر الحَلْوى مِنَ ← (الـمَحَلِّ القَريبِ مِنَ الـمَدْرَسَةِ) (الـمَحَلِّ البَعيد عَن الـمَدْرَسَةِ)

/10

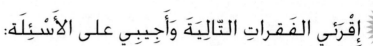

4 إِقْرَئي الفَقراتِ التّالِيَةَ وَأَجيبي على الأَسْئِلَة:

Read the following paragraphs and answer the questions:

1. مَروَة: اليَوْمُ هُوَ أَوَّلُ يَومٍ فِي الـمَدْرَسَةِ. أَسْتَيْقِظُ كُلَّ يَوْمٍ فِي السّاعَةِ السّابِعَةِ صَباحاً.

مَتى (when) تَسْتَيْقِظُ مَرْوَة؟

....

2. فاطِمَة: وَأَنتِ يا مَريَم هَلْ تَعْرِفِين أَجْزاءَ الوَجْه؟

مَرْيَم : نَعَم. العَيْنان والأَنف والفَمّ والأُذنان.

ما هِيَ (what are) أَجْزاءُ الوَجْه؟

....

3. أَكْرَم: هؤلاءِ التَّلامِيذُ يَذْهَبُونَ إِلى الـمَكْتَبَةِ. هؤلاءِ التِّلْمِيذاتُ يَذْهَبْنَ إِلى قاعَةِ الإِمْتِحانِ.

أَيْنَ (where) تَذْهَبُ التِّلْمِيذاتُ؟

....

/6

5 ضَع الكَلِمَةَ المُناسِبَة فِي الفَراغِ مُسْتَعِيناً بالصُّورَة:

Fill in the spaces by using the pictures:

1. أَشْتَرِي .... أُخْتِي المُفَضَّلَة.

2. أَشْتَرِي صابُونَ ....

3. أَقْرَأُ .... قَبْلَ النَّوم.

4. هاتانِ .... أُرِيدُهُما.

/4

6 رَتِّبِي الكَلِماتِ التّالِيَةَ لِتُصْبِحَ جُمَلاً:

Arrange the following words to make sentences:

1. السّاعَةِ - كُلَّ يَوْمٍ - فِي - صَباحاً - أَسْتَيْقِظُ - السّابِعَةِ

....

2. لامِعَةٌ - تَقُولُ - جِدّاً - اللُّغَةِ - مُعَلِّمَةُ - أَنِّي - الإِنْجِلِيزِيَّةِ

....

3. قاعَةِ - هؤلاءِ - الإِمْتِحانِ - التِّلْمِيذاتُ - إِلى - يَذْهَبْنَ

....

4. لأَبِي - إِلى - أَذْهَبُ - الصَّحِيفَةَ - وَأَشْتَرِي - الصُّحُفِ - بائِعِ

....

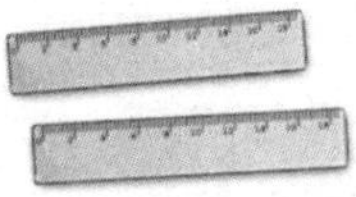

5. أَتَكَلَّمُ – وأُذُناي – بِهِ – أَسْمَعُ – الطَّعامَ – وآكُلُ – فَمِي – بِهِما – بِهِ

....

6. بِخَير – والحَمْدُ – أنا – لِلّه

/ 12

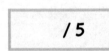

....

7 أُكْتُبِي اِسْمَ الإشارَةِ المُناسِبَ فِي الفَراغ:

Write the suitable isharah pronouns in the correct space:

1. .... بابان

2. .... كُرْسِي

3. ....أَوْلاد

4. .... بِنْتان

5. .... فِيلَة

/ 5

8 ضَعْ خَطّاً تَحتَ الإسْمِ وَخَطَّيْنِ تَحتَ الفِعْلِ وثَلاثَةَ خُطُوطٍ تَحتَ الحَرفِ:

Draw one line under the noun, two lines under the verb and three lines under the preposition:

1. وَصَلَت أَلَيْنا إلى البَيْتِ.

2. أَنا مِنَ العِراقِ.

3. عَلَّقَت المُعَلِّمَةُ الرَّسْمَ.

4. أَلْعَبُ بِالكُرَةِ.

/ 6

9 أُربُطي بَيْنَ الكَلِمَةِ وَضِدِّها:

Draw an arrow to join the opposite words:

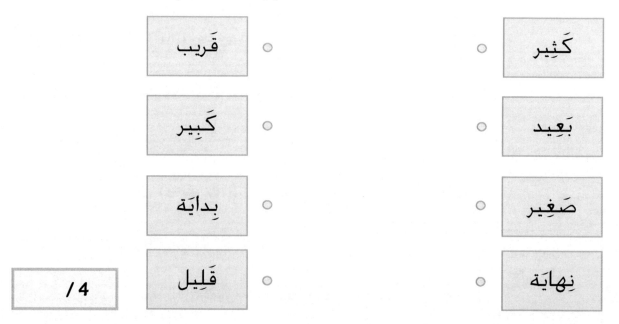

كَثِير	قَريب
بَعِيد	كَبِير
صَغِير	بِدايَة
نِهايَة	قَلِيل

/4

10 أُكْتُبْ كَلِماتٍ تَبْدَأُ بِالحُروفِ التّالِيَةِ وَمَيِّزْ الحَرفَ القَمَرِيَّ عَنِ الحَرفِ الشَّمْسِيِّ بِوَضْعِ سُكون " ° " على اللّامِ قَبْلَ الحَرفِ القَمَرِيِّ كَما في المِثال:

Write words that start with the following letters and show the moon letter by adding sukoon over the laam before the letter (follow the example):

ت: التِّلْمِيذ   **ج: الْجَمَل**

1. **ض** : ---------------- 2. **ر** : ----------------

3. **م** : ---------------- 4. **ف** : ----------------

5. **ص** : ---------------- 6. **د** : ----------------

/6

11 أُكْتُبي الكَلِمَةَ الـمُقابِلَةَ بِاللُّغَةِ العَرَبِيَّةِ فِي الفَراغِ (إتبعي الـمِثال):

Write the Arabic meaning in the space (follow the example):

إِسْـمـي (my name) مَرْوَة وَعُمْري عَشْـرُ سَـنَوات (ten years) .

1. .... (I buy) لِأُمّي .... (house necessities)

مِنَ الـمَتْجَرِ الكَبير.

2. .... (my eyes) أَرى بِهِما الأَشْـياءَ .... (and) ....

(my nose) أَشُـمُّ بِهِ.

3. .... (I wake up) كُلَّ يَوْمٍ .... (at)

.... (seven o'clock) صَباحاً.

/ 8

12 أَرْبِطْ بَيْنَ العِبارَةِ فِي العَمودِ الأَيْـمَنِ وَما يُناسِبُها فِي العَمودِ الأَيْسَـرِ:

Draw a line between each part of a sentence on the right with the part that completes it on the left:

أُمْسِكُ بِهِما الأَشْياءَ	كَيْفَ حالُكَ؟
يَذْهَبْنَ إِلى قاعَةِ الإِمْتِحانِ	يُقَدِّمُ حانوتُ الـمَدْرَسَةِ
مِنْ مَكْتَبَةِ الـمَدْرَسَةِ	يَداي
بِخَيرٍ، والـحَمْدُ لله	أَشْتَري عَصيرَ التُّفّاحِ
الطَّعامَ الـحَلالَ	أَسْتَعيرُ قِصَّةً
مِنَ الـمَحَلِّ الصَّغيرِ	هؤُلاءِ التِّلْميذاتُ

/ 6

Total: / 100

الوحدة الثالثة

UNIT 3

7 بَيْتِي الجَدِيد

القِراءة

Reading

بَيْتِي الجَدِيدُ يَقَعُ فِي وَسَطِ شارِعٍ عَرِيضٍ وَتُوجَدُ فِي نِهايَةِ الشّارِعِ أَسْواقٌ كَبِيرَةٌ وَحَدائِقُ لِلْأَطْفالِ. بَيْتِي الجَدِيدُ فِيهِ ثَلاثُ غُرَفِ نَوْمٍ -غُرْفَةٌ لِأَخِي الكَبِيرِ، وَأُخْرى لِأُخْتِي الصَّغِيرَةِ، وَغُرْفَةٌ كَبِيرَةٌ لِأَبِي وَأُمِّي.

غُرْفَةُ الجُلُوسِ فِي وَسَطِ البَيْتِ. المَطْبَخُ مُرَبَّعٌ وَفِيهِ شَبابِيكُ كَبِيرَةٌ تُطِلُّ على الحَدِيقَةِ.

الحَدِيقَةُ كَبِيرَةٌ وفِيها أَشْجارٌ عالِيَةٌ وَنَخْلٌ وَوُرُودٌ. الوُرُودُ جَمِيلَةٌ

وأَلْوانُها جَذّابَةٌ. غُرْفَتِي تُطِلُّ على الحَدِيقَةِ. المَنْظَرُ رائِعٌ مِن شُبّاكِ غُرْفَتِي.

طَلَبَت أُمِّي مِنّا أَنْ نُساعِدَها فِي تَنْظِيفِ البَيْتِ. ذَهَبْتُ إلى غُرْفَتِي، وَضَعْتُ مَلابِسِي فِي الخِزانَةِ. رَتَّبْتُ أَغْراضِي وَكُتُبِي. أَصْبَحَت غُرْفَتِي جَمِيلَةً وَمُرَتَّبَةً. إنْتَهى العَمَلُ وَأَصْبَحَ البَيْتُ نَظِيفاً وَجَمِيلاً. كانَتْ أُمِّي سَعِيدَةً بِبَيْتِنا الجَدِيدِ. ذَهَبَتْ أُمِّي إلى المَطْبَخِ لِتُعِدَّ طَعامَ الغَداءِ. كُنّا جائِعِينَ، وَكانَ الطَّعامُ لَذِيذاً.

التعبير الشفهي
Oral expression

أَجِبْ على الأسئلَةِ شَفَهِّياً

Answer the questions orally

ماذا تُشاهِدُ في الصُّورةِ الأولى؟ / مَاذا تُشاهِدُ في الصُّورَةِ الثّانِية؟

إلى ماذا (to what) تَنْظُرُ البِنْتُ فِي الشُّبّاكِ؟ ماذا تَرى فِي الصُّورَةِ الثّالِثَة؟

مفردات

Vocabulary

I put : وَضَعْتُ	it is located : يَقَعُ
my clothes : مَلابِسي	(in the) middle : وَسَط
I tidied up : رَتَّبْتُ	(markets) shops : أسْواق
my stuff : أَغْراضي	to the children : لِلْأَطْفال
it has become : أَصْبَحَتْ	room : غُرْفَة
tidy : مُرَتَّبَة	square : مُرَبَّع
the work : العَمَل	it overlooks : تُطِلُّ
clean : نَظيفاً	attractive : جَذّابَة
to prepare : لِتُعِدَّ	the view : المَنْظَرُ
we were : كُنّا	wonderful : رائِعٌ
hungry : جائِعين	She requested : طَلَبَت
delicious : لَذيذاً	cleaning : تَنْظيف

عبارات

Expressions

my new house : بَيْتي الجَديد

lunch : طعامُ الغَداء

the food is delicious : الطَّعامُ لَذيذاً

أَتَذَكَّرُ أَنَّ I remember that

الـمَطْبَخُ مُرَبَّعٌ ، الـحَدِيقَةُ كَبِيرَةٌ
مُبْتَدَأ خَبَر مُبْتَدَأ خَبَر

الوُرُودُ جَمِيلَةٌ، الـمَنْظَرُ رائِعٌ
مُبْتَدَأ خَبَر مُبْتَدَأ خَبَر

جُمْلَة إسْمِيَّة
Nominal sentence
مُبْتَدَأ + خَبَر (إسم)

بَيْتي الـجَديد يَقَع فِي وَسَطِ شارِعٍ
مُبْتَدَأ خَبَر

غُرْفَتِي تُطِلُّ على الـحَدِيقَةِ
مُبْتَدَأ خَبَر

جُمْلَة إسْمِيَّة
Nominal sentence
مُبْتَدَأ + خَبَر (جملة فعلية)

غُرْفَةُ الـجُلُوسِ فِي وَسَطِ البَيْتِ
مُبْتَدَأ خَبَر

جُمْلَة إسْمِيَّة
Nominal sentence
مُبْتَدَأ + خَبَر (شبه جملة)

الأضداد
Opposites

الـجَدِيد	new	≠	القَدِيـم	old
عَرِيض	wide	≠	ضَيِّق	narrow
نِهايَة	end	≠	بِدايَة	beginning
كَبِير	large	≠	صَغِير	small
إنْتَهى	finished	≠	بَدَأَ	started
سَعِيدَة	happy	≠	حَزِينَة	sad

أُنْظُرْ وَاقْرَأْ   Look and read

غُرْفَة جُلُوس	غُرْفَة نَوْم	حَدائِق لِلأَطْفال	شارِع

نَخَل	أَشْجار	شُبّاك	مَطْبَخ

طَعام	خِزانَة	مَلابِس	وُرُود

الإملاء   Spelling

غُرْفَةُ الْجُلُوسِ فِي وَسَطِ الْبَيْتِ. الْمَطْبَخُ مُرَبَّعٌ وَفِيهِ شَبابِيكُ كَبِيرَةٌ تُطِلُّ على الْحَدِيقَةِ. الْحَدِيقَةُ فِيها أَشْجارٌ عالِيَةٌ وَوُرُودٌ جَمِيلَةٌ وألوانُها جَذَّابَةٌ.

أُنظُرْ وَاكتُب   Look and write

غُرْفَةُ الْجُلُوسِ فِي وَسَطِ الْبَيْتِ. تَقَعُ فِي وَسَطِ الْبَيْتِ. الْمَطْبَخُ مُرَبَّعٌ وَفِيهِ شَبابِيكُ كَبِيرَةٌ تُطِلُّ على الْحَدِيقَةِ.

التمارين   Exercises

تـمرين استماع   Listening exercise

---

1) ضَعِي عَلامَةَ ✕ تَحْتَ الصُّورَةِ الَّتِي تَسْمَعِينَ اِسْمَها:

Put an ✕ under the picture that you hear:

   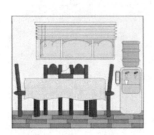

2 1

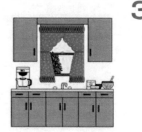   

4 3

6 5

2) إِسْتَمِعْ إِلَى الْجُمْلَةِ وَارسِمْ خَطّاً تَحتَ الجَوابِ الصَّحِيح داخِل الأَقْواس:

Listen to the sentence and underline the correct answer between the brackets:

1. بَيْتي فِيهِ ...... (أَرْبَعُ غُرَفِ نَوْمٍ) (ثَلاثُ غُرَفِ نَوْمٍ)

2. تُعِدُّ الأُمُّ طَعامَ ...... (الغَداء) (العَشاء)

3. غُرْفَتي تُطِلُّ عَلى ...... (الشّارِع) (الحَدِيقَة)

4. طَلَبَت الأُمُّ أَن نُساعِدَها فِي ...... (تَرْتيبِ المَلابِس) (تَنْظيفِ البَيْتِ)

5. رَتَّبْتُ ...... (أَغْراضي وَكُتُبي) (حاجِياتِ المَطْبَخ)

تمارين كتابة Writing exercises

---

3) أُكْتُبي المَعنى المُقابِلَ بِاللُّغَةِ العَرَبِيَّة لِما بَيْنَ الأَقواس:

Write, in Arabic, the meaning of the words between the brackets:

1. .... (the sitting room) فِي وَسَطِ البَيْتِ.

2. .... (the view) رائِعٌ مِن شُبّاكِ غُرْفَتي.

3. .... (we were hungry) وَكانَ الطَّعامُ .... (delicious).

4. تُوجَدُ فِي .... (end of the street) أَسْواقٌ كَبيرَةٌ

وَ............................... (gardens) لِلأَطْفالِ.

5. الحَدِيقَةُ كَبيرَةٌ وفِيها .... (trees) عالِيَةٌ وَ.............. (flowers).

4) أُكْتُبي رَقْمَ الصُّورَةِ الـمُناسِبَةِ فِي الفَراغِ:

Write the number of the suitable picture in the space:

4

3

2

1

1. كُنّا جائِعينَ، وَكان الطَّعامُ لَذيذاً. ....

2. بَيْتي الـجَديدُ يَقَعُ فِي وَسَطِ شارِعٍ عَريضٍ. ....

3. الـمَنْظَرُ رائِعٌ مِن شُبّاكِ غُرْفَتي. ....

4. أُساعِدُ أُمّي فِي تَنْظيفِ البَيْتِ. ....

5) صِلْ بَيْنَ الـمُبْتَدَأ فِي العَمودِ الأَيـمَنِ وَالـخَبَرِ الـمُناسِبِ فِي العَمودِ الأَيْسَرِ:

Match the mubtada' in the right column with kheber in the left column:

بَيْتِي	فِي الـخِزانَةِ
الـحَديقَةُ	جَـمِيلَةٌ وَمُرَتَّبَة
بَيْتِي الـجَديدُ	فِي وَسَطِ البَيْت
غُرْفَةُ الـجُلوسِ	يَقَع فِي وَسَطِ شارِعٍ ضَيِّقٍ
مَلابِسي	فِيهِ ثَلاث غُرَفِ نَوْمٍ

6) إبحَثِي عَنِ الكَلِماتِ فِي الشَّكْلِ التّالِي:

Fill in the word search with the following words:

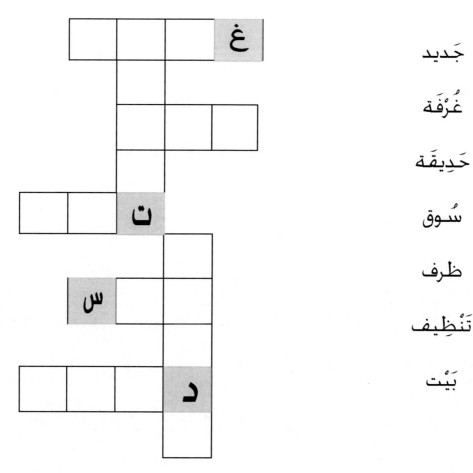

جَديد

غُرْفَة

حَدِيقَة

سُوق

ظرف

تَنْظِيف

بَيْت

7) أُرْبُطْ بَيْنَ الكَلِمَةِ وضِدِّها:

Draw a line between each word and its opposite:

كَبِير	سَعِيدَة	ضَيِّق	قَدِيم
حَزِينَة	بَدَأَ	نِهايَة	عَرِيض
إنْتَهى	صَغِير	جَدِيد	بِدايَة

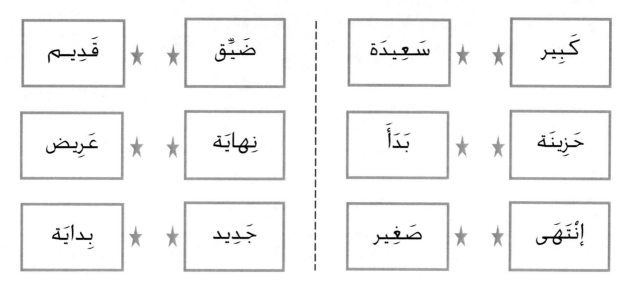

8 غُرْفَتِي وَأَثاثِي

القِراءة

Reading

إِسْمِي سالِي، غُرْفَتِي شَكْلُها مُسْتَطِيلٌ. يُوجَدُ فِي غُرْفَتِي شُبّاكانِ يُطِلّانِ على الشّارِعِ. الـمَنْظَرُ جَمِيلٌ والأَشْجارُ على جانِبَيِ الشّارِعِ. العَصافِيرُ تُزَقْزِقُ فَوْقَ الأَشْجارِ، وَأَسْمَعُ صَوْتَها الْـجَمِيلَ.

نُرِيدُ أَن نَعْمَلَ لِغُرْفَتِي دِيكُوراً جَمِيلاً وَنَشْتَرِيَ أَثاثاً جَدِيداً. قالَ أَبِي: أُصْبُغُوا الْـجُدْرانَ بِاللَّوْنِ الأَزْرَقِ الفاتِحِ، وَاشْتَرُوا سَتائِرَ بَيْضاءَ، وَسِجّادَةً زَرْقاءَ. وَقالَت أُمِّي: لِـماذا لا تَشْتَرُونَ الأَثاثَ مِنْ مَحِلِّ الأَثاثِ فِي السُّوقِ القَرِيبِ؟

كانَ أَخِي وَأُخْتِي يَصْبُغانِ الغُرْفَةَ وَيُعَلِّقانِ السَّتائِرَ بِنَشاطٍ كَبِيرٍ. هُما يُحِبّانِي كَثِيراً.

سَمِعْنا صَوْتَ بُوقِ

سَيّارَةِ شَحْنٍ كَبيرَةٍ، نَظَرْنا مِنَ الشُّبّاكِ، فَرِحْتُ عِنْدَما رَأَيْتُ الْعُمّالَ يُنْزِلُونَ السَّريرَ وَالْـخِزانَةَ وَالْـمَكْتَبَ مِنَ السَّيّارَةِ إلى بَيْتِنا.

قالَتْ أُمّي: "رَتِّبُوا الْغُرْفَةَ وَضَعُوا الْكُتُبَ عَلى الرَّفِّ، واتْرُكُوا الْـحاسُوبَ فَوْقَ الْـمَكْتَبِ".

رَتَّبْنا الْغُرْفَةَ، وَوَضَعْنا السَّريرَ قُرْبَ الشُّبّاكِ، وَالْـخِزانَةَ قُرْبَ السَّريرِ. أَصْبَحَتِ الْغُرْفَةُ مُرَتَّبَةً وَجَميلَةً.

بَعْدَ أَنْ أَكْمَلْنا الْعَمَلَ دَرَسْنا دُرُوسَنا وَذَهَبْنا إلى النَّوْمِ.

تَقُولُ أُمّي: "أُكْتُبُوا واجِبَكُمِ الْبَيْتِيَّ، وَاذْهَبُوا إلى النَّوْمِ باكِراً تَسْتَيْقِظُوا باكِراً، وَلا تَتَأَخَّرُوا عَنِ الْـمَدْرَسَةِ".

سُـونْيا وَدانْيَل تَزورانِ بَيْتَنا الـيَوْمَ. عِـنْدَما دَخَلَتا غُرْفَتِـي صاحَـتا: "رائِع، كَـمْ هِـيَ جَـمِيلَةٌ غُـرْفَـتُكِ!" وَقالَـتا لِـي: "أَجْـمَلُ ما فِـي الـغُـرْفَـةِ هُـما الـلَّـوْحَـتانِ الـمُـعَلَّـقتانِ عَـلـى الـحـائِـطِ".

جَلَسْـنا سَـوِيَّةً نَتَـحَـدَّثُ عَـنِ الـمَـدْرَسَـةِ وَقَـضَـيْنا وَقْـتاً مُـمْـتِعاً.

التعبير الشفهي
Oral expression

أَجيبِي على الأسئلَةِ شَـفَـهِيّاً
Answer the questions orally

ما هُـوَ الأَثاث (what furniture) الـذي تُشاهِـدهُ فِـي الـصُّـورة الـثانيـة؟

ماذا قالـت الأمُّ لِابْـنَـتِها؟

عـلى مـاذا يَـطِـلُّ شُـباكـا الـغُـرْفَـة؟

مفردات
Vocabulary

its shape : شَـكْـلُها	Imperative (You; plural) paint : أُصْـبُـغُـوا
Present (They; dual) overlook : يَطِّلان	the walls : الـجُدران
Present We do : نَـعْـمَـل	curtains : سَـتائِر
decoration : دِيكُـوراً	rug: سِـجّادَة
furniture : أَثاثاً	Present (They; dual) hang : يُـعَـلِّـقان

tidy : مُرَتَّبَة	(They; dual) love me : يُحِبّانِـي
Past We finished : أَكْمَلْنا	Present
(You; plural) wake up : تَسْتَيْقِظُوا	horn : بُوق
Present	workers : العُمّال
(They; fem. dual) visit : تَزُوران	(You; plural) tidy up : رَتِّبُوا
Present	Imperative
(They; fem. dual) cried out : صاحَتا	(You; plural) put : ضَعُوا
Past	Imperative

عبارات
Expressions

the view is beautiful : المَنْظَرُ جَمِيلٌ

both sides of the street : جانِبَي الشّارِع

its beautiful voice : صَوْتها الجَمِيلُ

great activity : نَشاطٌ كَبِير

big (courier) van : سَيّارَةُ شَحْنٍ كَبِيرَةٍ

don't be late : لا تَتَأَخَّرُوا

wonderful : رائِع

We sat together : جَلَسْنا سَوِيَّةً

how beautiful it is : كَم هِيَ جَمِيلَة

the most beautiful in : أَجْمَل ما فِي

أَتَذَكَّرُ أَنَّ I remember that

قالَ ، قالَت ، سَمِعْنا ، نَظَرْنا أَكْمَلْنا ، دَرَسْنا ، جَلَسْنا	الفعل الماضِي	= Past
يُطِلّان ، نُرِيد ، نَعْمَل ، نَشْتَرِي يَصْبِغان ، يُعَلِّقان ، تَزُوران	الفعل المُضارِع	= Present
أُصْبُغُوا ، إِشْتَرُوا ، رَتِّبُوا ، ضَعُوا أُكْتُبُوا ، إِذْهَبُوا ، أُتْرُكُوا	فعل الأَمْر	= Imperative

الأضداد Opposites

جديد	new	≠	قَدِيم	old
فاتِح	light	≠	غامِق	dark
قَرِيب	close	≠	بَعِيد	far
كَثِير	many	≠	قَلِيل	few
قُرْب	near	≠	بعيد عَن	far from
بَعْدَ	after	≠	قَبْلَ	before

الإملاء Spelling

نُريدُ أَن نَعْمَلَ لِغُرفَتِي دِيكوراً جَمِيلاً وَنَشْتَرِيَ أَثاثاً جَدِيداً. كانَ أَخِي وَأُخْتِي يَصْبُغانِ الغُرْفَةَ وَيُعَلِّقانِ السَّتائِرَ بِنَشاطٍ كَبِيرٍ. هُما يُحِبّانِي كَثِيراً.

أُنظُرْ وَاكتُب Look and write

غُرْفَتِي شَكْلُها مُسْتَطِيلٌ. يُوجَدُ فِي غُرْفَتِي شُبّاكانِ يُطِلّانِ عَلى الشّارِعِ. المَنْظَرُ جَمِيلٌ والأَشْجارُ على جانِبَي الشّارِعِ.

التمارين   Exercises

تـمرين استماع   Listening exercise

1) إقرأ الْجُمْلَةَ، ثُمَّ اسْتَمِعْ إِلَى الْجَوابِ وَاكْتُبْ رَقْمَ الْجَوابِ الصَّحِيحِ في الْمُرَبَّعِ:

Read the sentence then listen to the answers and write the number of the correct answer in the box:

1. غُرْفَةُ سالِي ☐

2. فِي الغُرْفَة شُبّاكانِ يُطِلّانِ على ☐

3. قالَ أَبِي: أَصْبُغُوا الْجُدران بِاللَّونِ ☐

4. قالَت أُمِّي" أَتْرُكُوا الْحاسُوبَ فَوْقَ" ☐

5. رَتَّبْنا الغُرْفَةَ وَوَضَعْنا الْخِزانَةَ ☐

6. تُقُولُ أُمِّي: "إذْهَبُوا إلى النَّوْمِ باكِراً تَسْتَيْقِظُوا" ☐

7. سُونْيا ودانْئيَل قالَتا: "أَجْمَلُ ما فِي الغُرْفَةِ" ☐

تـمارين كتابة   Writing exercises

2) أَكْمِلِي الفَراغاتِ التّالِيَةَ بِالكَلِماتِ الْمُناسِبَةِ:

Write the suitable words in the spaces:

1. قالَ أَبي: أُصْبُغوا .... بِاللَّوْنِ الأَزْرَقِ الفاتِحِ، وَاشْتَروا .... بَيْضاءَ، .... زَرْقاءَ.

2. قالَت أُمّي: "................... الكُتُبَ على الرَّفِّ، واتْرُكوا الحاسُوبَ فَوْقَ ....".

3. وَضَعْنا السَّرير قُرْبَ .... والخِزانَةَ .... السَّرير. أَصْبَحَت الغُرْفَةُ ....وَجَميلَةً.

4. عِنْدَما .... سُونْيا وَدانْيَل غُرْفَتي صاحَتا: "رائِع، .... جَميلَةٌ غُرْفَتُكِ!"

5. فَرِحْتُ عِنْدَما رَأَيْتُ العُمّالَ .... السَّريرَ وَالخِزانَةَ مِنَ السَّيّارَةِ.

3) أُرْبُط بَيْنَ الْجُمْلَةِ فِي العَمُود الأَيمَن وَما يُناسِبها فِي العَمُود الايَسَر:

Match each sentence on the right with the appropriate sentence on the left:

سَمِعْنا	يُعَلِّقان السَّتائِرَ
قَضَيْنا	صَوْتَ بُوقِ سَيّارَةِ شَحْنٍ كَبيرَةٍ
أُصْبُغوا	وَقْتاً مُمْتِعاً
إِذْهَبوا إِلى النَّوْمِ	الْجُدْران بِاللَّوْنِ الأَزْرَقِ الفاتِحِ
أَخِي وَأُخْتِي	باكِراً

4) أُربُطي بَيْنَ الفِعْلِ وَالمَعنى المُقابلِ باللُّغَةِ الإنْكليزيّةِ:

Connect between the verb and the meaning in English:

رَتِّبُوا	تَسْتَيْقِظُوا	إِذْهَبُوا	أُتْرُكوا	ضَعُوا
put	tidy up	wake up	leave	go

5) صِلْ بَيْنَ الْجُمْلَةِ وَالصُّورَةِ المُناسِبَةِ:

Match the sentences with the pictures:

إِذْهَب إلى النَّوْمِ باكِراً

سِجّادَة زرقاء

سَتائِر بَيْضاء

سَيّارَةُ شَحْنٍ كَبيرَةٍ

غُرْفة مُرَتَّبَة

6) أُربُطْ بَيْنَ الكَلِمَةِ وَضِدِّها:

Draw an arrow to join the opposite words:

كَثير	فاتِـح
باكِراً	قَـدِيـم
جَدِيد	بَعِيد
غامِق	مُتَأَخِّراً
بَعْدَ	قَبْلَ
قَرِيب	قَلِيل

7) ضَعْ ✓ أَمامَ العِبارَةِ الصَّحِيحَةِ وَ ✗ أَمامَ العِبارَةِ الخَطأ:

Put ✓ next to the correct sentence and ✗ next to the incorrect sentence:

1. تَقُولُ أُمِّي: "لا تَذْهَبُوا إلى النَّوْمِ باكِراً. تَسْتَيْقِظُوا باكِراً". (..............)

2. بَعْدَ أن أَكْمَلنا العَمَلَ دَرَسْنا دُرُوسَنا وَذَهَبْنا إلى النَّوْمِ. (..............)

3. وَقالَت أُمِّي: لِماذا لا تَشْتَرُون الأَثاثَ مِنْ مَحِلِّ الأَثاثِ في السُّوقِ البَعِيد؟" (..............)

9 شَكْلِي وَمَلابِسِي

القِراءة

Reading

مَرْحَباً، أَنا فاطِمَة، أَنا نَحِيفَةٌ وَقَصِيرَةٌ. لَوْنُ شَعْرِي أَصْفَرُ، وَلَوْنُ عُيُونِي زَرْقاءُ. أَلْبَس تَنُّورَةً بُنِّيَّةً وقَمِيصاً أَبْيَض.

أُمِّي طَوِيلَةٌ وَنَحِيفَةٌ. لَوْنُها أَبْيض، وَشَعْرُها أَسْوَدُ. تَلْبَسُ أُمِّي ثَوْباً أَزْرَق، وَقُبَّعَةً حَمْراءَ.

أُخْتِي الكَبِيرَةُ ندى، لَوْنُها أَسْمَرُ. هِيَ طَوِيلَةٌ وَنَحِيفَةٌ. شَعْرُها بُنِّيٌّ. تَلْبَسُ ندى تَنُّورَةً سَوْداءَ وقَمِيصاً أَبْيَض.

أَخِي الصَّغِيرُ ثامِرُ قَصِيرٌ وسَمِينٌ. شَعْرُهُ أَسْوَدُ. يَلْبَسُ ثامِرُ سِرْوالاً قَصِيراً رَمادِيّاً، وقَمِيصاً أَسْوَدَ، وَجَوارِبَ بَيْضاءَ وَحذاءَ رِياضَةٍ أَبْيَض.

عَمِّي سالِمٌ طَوِيلٌ وَسَمِينٌ. لَوْنُهُ أَسْمَرُ، وَعُيُونُهُ بُنِّيَّةٌ. يَلْبَسُ عَمِّي سِرْوالاً بُنِّيّاً، وَقَمِيصاً أَصْفَرَ، وَسُتْرَةً سَوداءَ.

التعبير الشفهي
Oral expression

أَجِبْ على الأسئلَةِ شَفَهِّياً
Answer the questions orally

ما هُوَ شَكْلُ فاطِمَة؟ وماذا تَلْبَس؟

ما لون شَعْرُ أُمِّ فاطِمَة وماذا تَلْبَس؟

ما إِسْمُ عَمِّ فاطِمَة؟ وَما شَكْلُهُ؟ وَما لَونُهُ؟ ماذا يَلبَسُ عَمُّ فاطِمَة؟

مَنْ يَرْتَدِي سِرْوالاً قَصِيراً وَحِذاءَ رِياضَة؟

مفردات

Vocabulary

	I wear : أَلْبَسُ	sifa صِفَة	thin : نَحِيفَة
sifa صِفَة	tall : طَوِيلَة	sifa صِفَة	short : قَصِيرَة
sifa صِفَة	brown : أَسْمَر		colour : لَوْن
	my uncle : عَمِّي		my hair : شَعْرِي

I remember that أَتَذَكَّرُ أَنَّ

طَوِيل/طَوِيلَة ، نَحِيف/نَحِيفَة

سَمِين/سَمِينَة ، قَصِير/قَصِيرَة

أَسْمَر/سَمْراء، أَزْرَق/زَرْقاء ، أَحمَر/حَمْراء

أَسوَد/سَوْداء ، أَبْيَض/بَيضاء ، أَصْفَرُ/صَفراء

بُنِّيّ/بُنِّيَّة ، رَمادِيّ/رَمادِيّة

sifa صِفَة

الأضداد
Opposites

fat	سَمِين	≠	thin	نَحِيف
tall (long)	طَوِيلَة	≠	short	قَصِيرَة
small	صَغِيرَ	≠	big	كَبِيرَ

أُنظُر وَاقرَأ Look and read

شَعْر

عُيُون

تَنَّورَة

قَمِيص

ثَوْب

قُبَّعَة

سِرْوال

جَوارِب

حِذاء

طَوِيل

سَمِين

سُتْرَة

الإملاء   Spelling

أُمِّي طَوِيلَةٌ وَنَحِيفَةٌ. لَوْنُها أَبْيَضُ، وَشَعْرُها أَسْوَدُ. عَمِّي سالِمٌ طَوِيلٌ وَسَمِينٌ.

لَوْنُهُ أَسْمَرُ، وَعُيُونُهُ بُنِّيَّةٌ. يَلْبَسُ عَمِّي سِروالاً بُنِّياً.. وَقَمِيصاً أَصْفَرَ.

أُنْظُرْ وَاكْتُب   Look and write

أُمِّي طَوِيلَةٌ وَنَحِيفَةٌ. لَوْنُها أَبْيَضُ. أَخِي الصَّغِيرُ ثامِر قَصِيرٌ وَسَمِينٌ. يَلْبَسُ عَمِّي سالِمٌ سِرْوالاً بُنِّياً.

Exercises التمارين

Listening exercise تــمرين استماع

1) إرسِـمِـي دائِرَةً حَـولَ الـصُّـورَةِ الّـتـي تَـسْـمَـعِـينَ اسْـمَـها:

Draw a circle around the picture that you hear:

يذكُرُ الـمُـعَلِّمُ اِسـمَ صُـورَةٍ واحـدةٍ مـن كـلِ زَوجٍ، أو يَـسـتَـخـدِمُ خَـيارات الـقُـرصِ الـمُـدمَج.

The teacher chooses the name of one picture from each pair, or use the choices on the CD

1

2

3

4

5

6

2) إِسْـتَـمِـعْ إلـى الْـجُـمْـلَـةِ، وارسِـمْ دائِرَةً حَـوْلَ الْـجَـوابِ الـصَّـحِـيحِ داخِـلَ الأَقْـواسِ:

Listen to the sentence and draw a circle around the correct answer between the brackets:

1. فاطِمَة: أَنا (نَحِيفَةٌ/سَمِينَةٌ) وَ (قَصِيرَةٌ / طَوِيلَةٌ).

2. أَخِي الصَّغِيرُ ثامِرُ يَلْبَسُ (سِرْوالاً / جَوارِبَ) قَصِيراً.

3. أُخْتِي الكَبِيرَةُ نَدى لَوْنُها (أَبِيَضُ/ أَسْمَرُ).

4. عَمِّي سالِم عُيُونُهُ (زَرْقاءُ / بُنِّيَّةٌ).

5. أُمِّي تَلْبَسُ ثَوْباً (أَزْرَقَ/ أَسْوَدَ) وَقُبَّعَةً (بَيْضاءَ / حَمْراءَ).

Writing exercises   تـمارين كتابة

3) أُكْتَبي رَقَمَ الصُّورَةِ الـمُناسِبَةِ فِي الـمُرَبَّع:

Write the number of the suitable picture in the box:

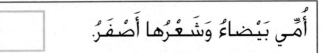
أُمِّي بَيْضاءُ وَشَعْرُها أَصْفَرُ.

أُخْتِي فاتِن لَوْنُها أَبْيَض، وَشَعْرُها أَصْفَرُ، وعُيُونُها زَرْقاءُ.

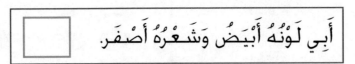
أَبِي لَوْنُهُ أَبْيَض وَشَعْرُهُ أَصْفَر.

أَخِي أَسْمَرُ وَشَعْرُهُ بُنِّيٌ.

عَلاء يَلْبَسُ سِرْوالاً طَوِيلاً وقَمِيصاً أَزْرَقَ.

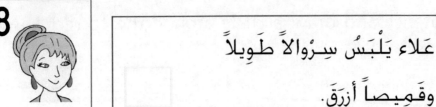

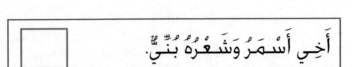

4) أُكْتُب، بِاللُّغَةِ العَرَبِيَّةِ، المَعنى المُقابِلَ لِلْكَلِمَةِ ما بَيْنَ الأَقواسِ:

Write, in Arabic, the meaning of the words between the brackets:

أَخِي الصَّغِير ثامِر (short) .... وَ (fat) ....

شَعْرُهُ (black) .... يَلْبَسُ ثامِر (short trousers) ....

رَمادِيّاً، و (shirt) .... أَسْوَدَ ، وَ (socks) .... بَيْضاء

وَ (trainer) .... أَبْيَض.

5) أُكْتُبِي الصِّفات المُناسِبَةَ فِي الفراغِ وَأَكْمِلي الجُمَل:

Write the suitable adjective to complete the sentences:

أُحِبُّ التُّفّاحَ ----------	القَصِير	البَناتُ يَلْبَسْنَ قُبَّعاتٍ ----------
	مُلَوَّناتٍ	
	طَوِيلين	
الحَدِيقَةُ ----------	كَبِيرَةٌ	الوُرودُ فِي الزُّهْرِيَّةِ ----------
	الأَحْمَر	
لَعِبْنا بِالحَبْلِ ----------	المُرَبَّعَة	الوَلَدان لَبِسا مِعْطَفين ----------

6) رَتِّبِي الـكَلِمات التّالِيَةَ لِتُكَوِّنِي جُمْلَةً مُفِيدَةً:

Arrange the following words to make a sentence:

1. أُمِّي – حَمْراءَ – أَزْرَقَ – وَقُبَّعَةً – ثَوْباً – تَلْبَسُ

----

2. وَلَوْنُ – تَنُّورَةً – أَنا – بُنِّيَّةً – زَرْقاءُ – فاطِمَةُ – عُيُونِي – أَلْبَسُ

----------------------------   ----------------------------------

3. السَّراوِيلَ – الـمُعَلِّمُون – الطَّوِيلَةَ – يَلْبَسُونَ

----

7) صِلْ بَيْنَ الكَلِمَة وضِدِّها: Draw arrows to join the opposite words:

طَوِيل	◆	◆	صَغِير
سَمِينَة	◆	◆	قَصِير
كَبِير	◆	◆	نَحِيفة

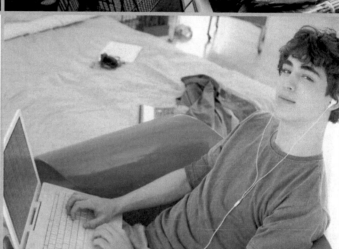

الوحدة الرابعة

UNIT 4

10 فِي المَطارِ

القِراءة

Reading

يُسافِرُ حامِدٌ إلى سُورِيَة.

يَصِلُ حامِدٌ إلى المَطارِ.

يَدْخُلُ المطارَ وَيَذْهَبُ إلى قاعَةِ المُغادَرَةِ. ثُمَّ يَذْهَبُ إلى مُوَظَّفِ الْجَوازاتِ. يَطْلُبُ المُوَظَّفُ جوازَ سَفَرِهِ وتَذْكِرَةَ السَّفَرِ. ثُمَّ يَطْلُبُ مِنْهُ أَن يَضَعَ حَقِيبَتَهُ على المِيزانِ.

يَأْخُذُ حامِدٌ جَوازَ سَفَرِهِ.

بَقِيَ على وَقْتِ الرِّحْلَةِ ساعَتانِ.

يَذْهَبُ حامِدٌ إلى الكافِيتِيريا لِيَشْرَبَ العَصِيرَ.

بَعْدَ ساعَةٍ يَذْهَبُ حامِدٌ إلى قاعَةِ الإِنْتِظارِ لِيَنْتَظِرَ الطّائِرَةَ. يَرْكَبُ حامِدٌ الطَّائِرَةَ وَيَجْلِسُ فِي مَقْعَدٍ قُرْبَ الشُّبّاكِ.

بَعْدَ أَن رَكِبَ الـمُسافِرونَ، أَقْلَعَت الطَّائِرَةُ وَحامِدٌ يَنْظُرُ مِنَ الشُّبّاكِ. كانَ الـمَنْظَرُ جَمِيلاً، الطّائِرَةُ تُحَلِّقُ فِي الْـجَّو وَتَرْتَفِعُ شَيئاً فَشَيئاً حَتى تَصِلَ فَوْقَ الغُيُومِ.

بَعْدَ ساعَةٍ وَنِصف هَبَطَت الطَّائِرَةُ فِي مَطارِ دِمَشْق. نَزَلَ حامِدٌ مِنَ الطّائِرَة، وَأَكْمَلَ كُلَّ شَيءٍ. ثُمَّ أَخَذَ حَقِيبَتَهُ وَذَهَبَ إلى قاعَةِ اِسْتِقْبالِ القادِمِينَ وَوَجَدَ أَقارِبَهُ بِانْتِظارِهِ. حَكى حامِدٌ لِأَقارِبِهِ عَنْ رِحْلَتِهِ وَكَمْ كانَتْ مُمْتِعَةً.

التعبير الشفهي
Oral expression

أَجِيبِي على الأسئلَةِ شَفَهِّياً
Answer the questions orally

إلى أَيْنَ يُسافِرُ حامِد؟ / ماذاطَلَبَ مُوَظَّفُ الْـجَوازاتِ مِن حامِد؟

ماذا رَأى حامِدٌ مِن شُبّاكِ الطّائِرَة؟ / مَن كانَ يَنْتَظِرُ حامِد فِي الـمَطار؟

مفردات

Vocabulary

He goes inside : يَدْخُل	He travels : يُسافِر
left : بَقِيَ	He arrives : يَصِل
He finished : أَكْمَلَ	two hours : ساعَتان
everything : كُل شَيء	seat : مَقْعَد
He found : وَجَدَ	It reaches : تَصِل
His relatives : أَقارِبَهُ	Damascus : دِمَشْق

عبارات

Expressions

قاعَة المُغادَرَة : Departure Hall

مُوَظَّفُ الجَوازات : passport officer

تَذكِرَةُ السَّفَر : ticket

قاعَة الإِنْتِظار : Departure (waiting) Lounge

المُسافِرون : passengers

أَقْلَعَت الطّائِرَة : The plane took off

تُحَلِّق : flying

تَرْتَفِعُ شَيئاً فَشَيئاً : going up gradually

فَوْقَ الغُيُوم : above the clouds

هَبَطَت : landed

قاعَة إِسْتِقْبال : Arrival Hall

الفاعِل هُوَ الذي يَقومُ بالفِعْلِ.

I learn that the fa'il/subject who/which does the action on the verb.

يُسافِرُ حامِدٌ إلى سُوريَة ، يَصِلُ حامِدٌ إلى المَطار

يَدْخُلُ حامِدٌ المطارَ، يَذْهَبُ حامِدٌ إلى قاعَةِ المُغادَرَة

فاعِل
fae'l / subject

الأضداد
Opposites

بَعْدَ ذلِكَ then ≠ قَبْلَ ذلِكَ before that

مُمْتِعَة enjoyable ≠ مُمِلَّة boring

أُنظُر وَاقرأ Look and read

مَطار

مِيزان

أَقْلَعَت الطّائِرَة

هَبَطَت الطّائِرَة

الإملاء Spelling

يُسافِرُ حامِدٌ إِلى سُوريَة. يَدخُلُ حامِدٌ المَطارَ وَيَذْهَبُ إِلى قاعَةِ المُغادرَةِ. ثُمَّ يَذْهَبُ إِلى مُوظَّفِ الجَوازاتِ. يَطْلُبُ المُوَظَّفُ جَوازَ سَفَرِهِ وَتَذْكِرَةَ السَّفَرِ.

أُنظُر وَاكتُب Look and write

حامِدٌ يَنْظُرُ مِنَ الشُّبّاكِ كانَ المَنْظَرُ جَميلاً. الطّائِرَةُ تُحَلِّقُ فِي الْجَوِّ وَتَرْتَفِعُ شَيئاً فَشَيئاً حَتى تَصِلَ فَوْقَ الغُيُومِ.

التمارين   Exercises

تـمرين استماع   Listening exercise

1) إِقْرَأِ الْجُمْلَةَ ثُمَّ اسْتَمِعْ إِلَى الْجَوابِ وَاكْتُبْ رَقْمَ الْجَوابِ الصَّحيحِ في الـمُرَبَّعِ:
Read the sentence then listen to the answers and write the number of the correct answer in the box:

1. يَذْهَبُ حامِدٌ إِلى ☐ لِيَشْرَبَ العَصيرَ.

2. ☐ تُحَلِّقُ فِي الـجَّوِ وَتَرْتَفِعُ شَيئاً فَشَيئاً.

3. حَكى حامِدٌ لِـ ☐ عَن رِحْلَتِهِ.

4. نَزَلَ حامِدٌ مِنَ الطّائِرَةِ وَذَهَبَ إِلى قاعَةِ اسْتِقْبالِ ☐ .

5. طَلَبَ الـمُوَظَّفُ مِنَ حامِد جَوازَ سَفَرِهِ وَ ☐ .

6. يَذْهَبُ حامِدٌ إِلى ☐ لِيَنْتَظِرَ الطّائِرَة.

تـمارين كتابة   Writing exercises

2) أَجِبْ عَلى الأَسْئِلَةِ التّالِيَةِ بِجُمَلٍ مُفيدَةٍ مُتَّبِعَةً الـمِثالَ:
Answer with complete sentences (follow the example):

أَيْنَ يُسافِرُ حامِد؟   ⬅   يُسافِرُ حامِدٌ إِلى سُورِيَة.

1. ماذا أَعطى حامِدٌ إِلى مُوَظَّفِ الـجَوازات؟

أَعطى حامِد .... إِلى مُوَظَّفِ الـجَوازات.

2. أَيْنَ جَلَسَ حامِدٌ فِي الطّائِرَةِ؟

جَلَسَ حامِد ....

3. أَيْنَ هَبَطَت الطّائِرَة؟

هَبَطَت الطّائِرَة فِي ....

4. مَنْ كانَ يَنْتَظِرُ حامِد فِي مَطار دِمَشْق؟

....

3) أُربُط بَيْنَ العِبارَةِ فِي العَمُودِ الأَيْـمَنِ وَالعِبارَةِ فِي العَمودِ الأَيسَر لِتُكَوِّنَ جُمْلَةً مُفِيدَةً:

Match the phrases to complete the sentences:

1. يَطْلُبُ مِنْهُ الـمُوَظَّفُ أَن
2. يَدْخُلُ حامِدٌ الـمطارَ
3. بَعْدَ أَن رَكِبَ الـمُسافِرونَ
4. الطّائِرَةُ تُـحَلِّقُ فِي الْـجَوِّ

يَضَعَ حَقِيبَتَهُ على الـمِيزانِ

أَقْلَعَت الطّائِرَةُ

وَيَذْهَبُ إِلى قاعَةِ الـمُغادَرَةِ

وَتَرْتَفِعُ شَيئاً فَشَيئاً

4) إِرسِمي خَطّاً تَحْتَ الفاعِلِ فِي الْـجُمْلِ التّالِيَةِ:

Underline the subjects in the following sentences:

1. يُسافِرُ حامِدٌ إِلى سُورِيَة.

2. أَخَذَ حامِدٌ حَقِيبَتَهُ.

3. تُـحَلِّقُ الطّائِرَةُ فِي الـجَوِّ.

5) رَتِّبْ الـكَـلِمات التّالِيَـةَ لِتُكَـوِّنْ جُـمْلَـةً مُـفِـيدَةً:

Arrange the following words in order to make a sentence:

الكافِيتِيريا - العَـصِيرَ - حامِدٌ - إلـى - لِيَشْـرَبَ - يَذْهَـبُ

....

حتّـى تَـصِلَ - فَـوْقَ - شَـيئاً فَـشَـيئاً - الـطّـائِرَةُ - الـغُـيُـوم - تَـرْتَـفِـعُ

....

حامِـدٌ - وَأَكْـمَـلَ - الـطّـائِرَةُ - نَـزَلَ - كُـلَّ شَـيءٍ - مِـن

....

6) أُكْـتُـبِ الـمَـعنـى الـمُـقابِلَ بِاللُّـغَـةِ الـعَـرَبِيَّـة لِـما بَيْـنَ الأَقْـواس (إتبع الـمِـثال):

Write, in Arabic, the meaning of the words between the brackets:

يَأْخُـذُ حـامِـدٌ جَـوازَ سَـفَـرِهِ (his passport).

1. .... (took off) الـطّـائِرَةُ وَحـامِـدٌ يَـنْـظُـرُ مِـنَ الـشُّـبّـاك.

2. .... (landed) الـطّـائِرَةُ فِـي مَـطـارِ دِمَـشْـق.

3. يَـذْهَـبُ حـامِـدٌ إلـى الـكـافِـيتِـيريا .... (to drink) الـقَـهْـوَةَ.

4. الـطّـائِرَةُ .... (flying) فِـي الـجَّـو وَتَـرْتَـفِـعُ شَـيْـئاً فَـشَـيْـئاً.

5. يَـذْهَـبُ حـامِـدٌ إلـى .... (departure hall).

11 فِي المِيناءِ

القِراءة

Reading

تُسافِرُ سَلْمى إلى بَيْروت بِالسَّفِينَةِ. وَصَلَت سَلْمى إلى المِيناءِ. كانَتْ سُفُنٌ كَثِيرَةٌ تَقِف هُناكَ.

رَكِبَتْ سَلْمى السَّفِينَةَ الَّتِي تَذْهَبُ إلى بَيْروت. كانَتْ هذِهِ أَوَّل مَرَّةٍ تَرْكَبُ سَلْمى السَّفِينَةَ. بَدأَتْ سَلْمى تَتَجَوَّلُ فِي السَّفِينَةِ. تَتَكَوَّنُ السَّفِينَةُ مِن طابِقَيْن: الطّابِقُ الأَوَّل فِيهِ غُرَفُ نَوْمٍ وَمَطعَمٌ وَسِينَما. فِي الطّابِق الثّانِي مَسْبَحٌ وَشُرْفَةٌ كَبِيرَةٌ. غادَرت السَّفِينَةُ المِيناءَ وَبَدَأَت الرِّحْلَةُ إلى بَيْروت.

صَعَدَت سَلْمى إلى الشُّرْفَةِ وَبَدَأَتْ تَنْظُرُ إلى البَحْرِ. كانَ المَنْظَرُ

جَمِيلاً. الأَمْواجُ هادِئَةٌ بِلَوْنِها الأَزْرَقِ، وَقِطَعُ الغُيومِ البَيْضاءُ فِي السَّماءِ.

فَجْأَةً رَأَتْ جِسْماً كَبيراً يَتَحَرَّكُ فِي البَحْرِ، نَظَرَت إِلَيْهِ فَوَجَدَتْهُ دُولْفِيناً كَبيراً يَقْفِزُ فِي الماءِ. أَخَذَتْ سَلْمى صُوَراً لِلْدُولْفِينِ، وَكانَت سَعيدَةً جِدّاً لِأَنَّها أَوَّلَ مَرَّةٍ تَرى دُولْفِيناً.

سَمِعَتْ سَلْمى صَوْتاً يُنادي: "السَّفينَةُ سَتَصِلُ إلى ميناءِ بَيْروت بَعْدَ نِصْفِ ساعَةٍ". رَسَت السَّفينَةُ فِي ميناءِ بَيْروت وَنَزَلَ الرُّكّابُ.

نَظَرَتْ سَلْمى إلى السَّفينَةِ نَظْرَةً أَخيرَةً وَتَمَنَّتْ لَو أَنَّ الرِّحْلَةَ كانَتْ أَطْوَلَ.

التعبير الشفهي
Oral expression

أَجِبْ عَلى الأَسْئِلَةِ شَفَهِّياً
Answer the questions orally

أَيْنَ سافَرَت سَلْمى؟ وَماذا رَكِبَت؟

أَيْنَ صَعَدَت سَلْمى؟

صِف (describe) المَنْظَر.

ماذا رَأَت سَلْمى؟

مفردات

Vocabulary

suddenly : فَجْأَةً	She is travelling : تُسافِر
She saw : رَأَتْ	She arrived : وَصَلَتْ
body/object : جِسْماً	port : مِيناء
moving : يَتَحَرَّك	She stopped : تَقِف
and she found out that it : فَوَجَدَتْهُ	She went aboard : رَكِبَتْ
It was jumping : يَقْفِز	She walks around : تَتَجَوَّل
pictures : صُوَر	It consists : تَتَكَوَّن
She heard : سَمِعَتْ	two floors : طابِقَيْن
She will arrive : سَتَصِل	balcony : شُرْفَة
half an hour : نِصْف ساعَة	She left : غادَرَتْ
the passengers : الرُّكّاب	the journey : الرِّحْلَة
She wished that : تَمَنَّتْ لَو	She looks at : تَنْظُر

عبارات
Expressions

the first time : أَوَّل مَرَّة

bedrooms : غُرَفُ نَوْم

beautiful view : الـمَنْظَر جَمِيلاً

calm waves : الأَمْواجُ هادِئَة

with its blue colours : بِلَوْنِها الأَزْرَق

pieces of clouds : قِطَعِ الغُيُوم

a voice was calling : صَوْتاً يُنادِي

the ship docked : رَسَت السَّفِينَة

last look : نَظْرَة أَخِيرَة

أَتَعَلَّمُ أَنَّ الـمَفْعُول بِهِ هُوَ الإِسْمُ الذي يَقَع عَليهِ الفِعْل.

I learn that the object is the noun on whom/which the action is done.

رَكِبَت سَلْمى السَّفِينَةَ . رَأَت سَلْمى جِسْماً

أَخَذَت سَلْمى صُوَراً . سَمِعَت سَلْمى صَوْتاً

مَفْعُول بِهِ object

الأضداد
Opposites

went up صَعَدَت	≠	walked out نَزَلَت
docked رَسَت	≠	left غادَرَت
longer أَطوَل	≠	shorter أَقصَر

أُنظُر وَاقرَأ Look and read

سفِينَة

مَسْبَح

سَماء

دُولْفِين

الإملاء Spelling

صَعَدَت سَلمى إِلى شُرفَةِ السَّفِينَةِ وَبَدأَت تَنْظُرُ إِلى البَحْرِ، كانَ المَنْظَرُ جَمِيلاً، الأَمْواجُ هادِئَةٌ بِلَونِها الأَزرَق، وَقِطَعُ الغُيُومِ البَيْضاءُ فِي السَّماءِ.

أُنظُر وَاكتُب Look and write

أَخَذَت سَلْمى صُوَراً لِلْدُولْفِين، وَكانَت سَعِيدَةً جِدّاً لِأَنَّها أَوَّل مَرَّةٍ تَرى دُولْفِيناً.

التمارين   Exercises

تـمـرين استـماع   Listening exercise

1) إِسْتَمِعْ إِلَى الْـجُمْلَةِ، وَارسِمْ دائِرَةً حَوْلَ الصّورةِ الصّحِيحَةِ:

Listen to the sentence and draw a circle around the correct picture:

2

1

4

3

6

5

Writing exercises ‎ تـمارين كتابة

2) أُربِطي بَيْنَ العِبارَةِ فِي العَمُودِ الأَيـمَنِ وَما يُناسِبها فِي العَمُودِ الأَيسَرِ:

Match the phrases to create complete sentences:

نَظْرَةً أَخِيرَةً	الأَمْواجُ هادِئَةٌ
صَوتاً يُنادِي	وَفَجْأَةً رَأَت جِسْماً كَبِيراً
إلى الشُرْفَة	نَظَرَت سَلْمى إلى السَّفِينَةِ
يَتَحَرَّكُ فِي البَحْر	كانَت سُفُنٌ كَثِيرَةٌ
تَقِفُ هُناك	صَعَدَت سَلْمى
بِلَوْنِها الأَزرَق	سَمِعَت سَلْمى

3) أَضِفْ شَدَّةً فَوْقَ الـحَرْفِ الشَّـمْسِـيّ وسُكوناً فَوْقَ لامَ "أل" قَبْلَ الـحَرْفِ القَمَرِيّ ثُمَّ صِلْ بَينَ الكَلِماتِ والصُّورَةِ الـمُناسِبَةِ:

Add a shadda over the sun letter and a sukoon over the laam before the moon letter, then connect each word with the suitable picture:

البـحر	السماء	الـميناء	السفينة	الـدولفين

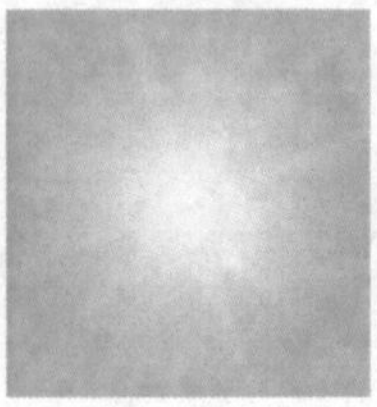

4) أُكْتُبِ الْـمَعنى الـمُقابِلَ بِاللُّغَةِ العَرَبِيَّةِ لِـما بَيْنَ الأَقواسِ:

Write, in Arabic, the meaning of the words between the brackets:

1. .... (the ship) سَتَصِلُ إلى مِيناءِ بَيْروت.

2. بَدَأَت .... (the journey) إلى بَيْروت.

3. .... (suddenly) رَأَت سَلْمى جِسْماً كَبيراً.

4. .... (travelled) سَلْمى إلى بَيْروت بِالسَّفِينَةِ.

5. .... (calm waves) بِلَوْنِها الأَزْرَق.

6. تَتَكَوَّنُ السَّفِينَةُ مِن .... (two floors)، الطّابِقُ الأَوَّلُ فِيهِ

.... (restaurant) .... (and) غُرَفُ نَوْمٍ وَسِينَما.

5) إِخْتاري الـمَفْعُولَ بِهِ الـمُناسِبَ وَاكْتُبِيهِ فِي الفَراغِ:

Choose the suitable object and write it in the space:

1. رَكِبَت سَلْمى .... (الشُّرفَةَ / السَّفِينَةَ)

2. سَمِعَت سَلْمى .... (صَوْتاً / نَظْرَةً أَخِيرَةً)

3. رَأَت سَلْمى .... (يَتَحَرَّكُ / دُولْفِيناً)

4. زارَ الوَلَدُ .... (الكِتابَ / الـمَكْتَبَةَ)

5. أَكَلَت البِنْتُ .... (الكَعْكَةَ / طَبَخَت)

6. قَرَأَ الأَبُ .... (السَّماءَ / الـجَرِيدَةَ)

12 عُطْلَةُ الصَّيْفِ

القِراءة

Reading

ذَهَبَت هُدى إلى مِصْرَ فِي عُطْلَةِ الصَّيْفِ وَزارت مَناطِقَ مُخْتَلِفَةً. تَقُولُ هدى: مِصْرُ بَلَدٌ كَبيرٌ وَجميلٌ.

تَشْتَهِرُ مِصْرُ بِالسِّياحَةِ والآثارِ، وَخُصُوصاً الأَهْراماتِ الَّتي بَناها الفراعِنَةُ قَبْلَ آلافِ السِّنين. وَيُوجَدُ أَيْضاً نَهْرُ النِّيلِ، وَهُوَ أَطولُ نَهْرٍ فِي العالَمِ. يَتَكَلَّمُ المِصْرِيُّون اللُّغَةَ العَرَبِيَّةَ.

ذَهَبَت هُدى إلى مَدِينَةِ الإِسْكَنْدَرِيَّة، تَقَعُ مَدِينَةُ الإِسْكَنْدَرِيَّة على ساحِلِ البَحْرِ الأَبيَضِ المُتَوَسِّطِ، وَهِيَ مَدِينَةٌ سِياحِيَّةٌ جَميلَةٌ

يَذْهَبُ نَدِيمٌ كُلَّ عُطْلَةِ صَيْفٍ إِلى لُبْنانَ لِأَنَّ عائِلَةَ أُمِّهِ هُناك. أُمُّهُ لُبْنانِيَّةٌ، وجَدَّتُهُ وَخالاتُهُ هُناك. يَقْضِي نَدِيمٌ الصَّيْفَ فِي بَيْرُوت عاصِمَةُ لُبْنانَ وَهِيَ مَدِينَةٌ جَمِيلَةٌ وَكَبِيرَةٌ، وَتَقَع على ساحِلِ البَحْرِ الأَبْيَضِ المُتَوَسِّطِ. يَقُولُ نَدِيمٌ، لُبْنانُ بَلَدٌ جَمِيلٌ أَيْضاً لِأَنَّ فِيهِ مَناطِقَ مُخْتَلِفَةً مِثْلَ السّاحِلِ وَالغاباتِ وَالْجِبالِ.

تَسْكُنُ مَرْوَةُ فِي تُونُس. تُونُسُ بَلَدٌ جَمِيلٌ وَفِيهِ مَزارِعُ كَثِيرَةٌ. تَذْهَبُ مَرْوَةُ إِلى المَناطِقِ السِّياحِيَّةِ على ساحِلِ البَحْرِ فِي الشَّمالِ.

تُحِبُّ مَرْوَةُ السِّباحَةَ فِي الصَّيْفِ. تُوجَدُ الأَسْواقُ الجَمِيلَةُ فِي وَسَطِ المَدِينَةِ. يَتَكَلَّمُ التُّونُسِيّونَ اللُّغَتَينِ العَرَبِيَّةَ وَالفَرَنْسِيَّةَ.

التعبير الشفهي

Oral expression

أَجيبي على الأسئلَةِ شَفَهِّياً

Answer the questions orally

أَيْنَ سافَرَت هُدى فِي عُطْلَةِ الصَّيْفِ؟

بِماذا (in what way) تَشْتَهِرُ مِصْرُ؟

لِماذا يُسافِرُ نَديمٌ إلى لُبْنان؟

ما هِيَ عاصِمَةُ لُبْنان؟ وَأَيْنَ (where it is located) تَقَعُ؟

أَيْنَ تَذْهَبُ مَرْوَة؟ / وَماذا تُحِبُّ؟

مفردات

Vocabulary

It is located : تَقَع	She went : ذَهَبَت
beach : ساحِل	She visited : زارَت
He goes : يَذْهَبُ	It is famous for : تَشْتَهِر
his grandmother : جَدَّتُهُ	tourism : السِّياحَة
his aunts : خالاتُهُ	He/They built it : بَناها
He spends : يَقْضِي	the Pharaohs : الفَراعِنَة
the summer : الصَّيْف	He/They speak : يَتَكَلَّم

the north : الشِّمال	capital city : عاصِمَة
swimming : السِّباحَة	She lives : تَسْكُن
middle : وَسَط	farms : مَزارِع

عبارات
Expressions

the summer holiday : عُطْلَة الصَّيْف

different places : مَناطِق مُخْتَلِفَة

monuments : الآثار

thousands of years : آلاف السِّنين

River Nile : نِهْرُ النِّيل

the Arabic language : اللُّغَةُ العَرَبِيَّة

Alexandria city : مَدِينَةُ الإِسْكَنْدَرِيَّة

the Mediterranean Sea : البَحْرُ الأَبْيَض المُتَوَسِّط

tourist city/town/attraction : مَدِينَة سِياحِيَّة

Lebanese : لُبْنانِيَّة

tourist attractions : المِناطِقُ السِياحِيَّة

seaside : ساحِلُ البَحْر

Tunisians : التُونُسِيون

the French language : اللُّغَةُ الفَرَنْسِيَّة

أَتَعَلَّمُ أَنَّ الْــجُمْلَةَ الفِعْليَّة: هِيَ الــجُمْلَةُ التي تَبْدَأُ بِالفِعلِ (مُضارِع ، ماضِي ، أَمْر).

A verbal sentence is a sentence that starts with a verb (Present tense, past tense and imperative tense).

جُمْلَة فِعْليَّة
verbal sentence

سافَرَت هُدى إلى مِصر ، ذَهَبَت هُدى إلى الإِسْكَنْدَريَّة

عادَ نَديــمٌ مِنْ لُبْنان ، تَسْكُنُ مَرْوَةُ فِي تُونُس

أُنْظُر وَاقرَأ   Look and read

جِبال

غابات

أَهُرامات

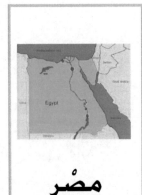

مِصْر

الإملاء   Spelling

يَقْضِي نَديـمٌ الصَّيْفَ فِي بَيْروت عاصِمَةِ لُبْنانَ وَهِيَ مَدينَةٌ جَميلَةٌ وَكَبيرَةٌ، لُبْنانُ بَلَدٌ جَميلٌ أَيضاً وَفيهِ مَناطِقَ مُخْتَلِفَةً مِثْلَ السّاحِلِ والغاباتِ والْجِبالِ.

أُنْظُرْ وَاكْتُب   Look and write

ذَهَبَت هُدى إلى مَدِينةِ الإسْكَنْدَرِيَّة، تَقَعُ مَدِينةُ الإسْكَنْدَرِيَّة على ساحِلِ البَحْرِ الأَبْيَضِ المُتَوَسِّطِ، وَهِيَ مَدِينةٌ سِياحِيَّةٌ جَمِيلَةٌ.

التمارين   Exercises

تمرين استماع   Listening exercise

1) إِسْتَمِعْ إلى الْجُمْلَة، وارسِمْ دائِرَةً حَوْلَ الْجَوابِ الصَّحِيح داخِلَ الأَقْواس:

Listen to the sentence and draw a circle around the correct answer between the brackets:

1. أُمُّ نَدِيم   (تُونُسِيَّة)   (لُبْنانِيَّة)

2. تُحِبُّ مَرْوَة   (السِّباحَة)   (الرَّكْض)

3. بَنى الأَهْرامات   (التُّونُسِيُّون)   (الفَراعِنَة)

4. تَقَعُ مَدِينَةُ الإِسْكَنْدَرِيَّة   (في لُبْنان)   (في مِصْر)

5. يَتَكَلَّمُ التُّونُسِيّونَ   (اللُّغَةَ العَرَبِيَّة)   (العَرَبِيَّةَ وَالفَرَنْسِيَّة)

تمارين كتابة   Writing exercises

---

2) إِقْرَئِي السُّؤالَ ثُمَّ اخْتاري الْجَوابَ الصَّحِيحَ واكْتُبِيهِ فِي الفَراغ:

Read the question, choose the suitable answer and write it in the space:

1. لِماذا (why) يُسافِرُ نَدِيمٌ إلى لُبْنان فِي الصَّيْف؟

لِأَنَّ (because) ....

عائِلَةَ أُمِّهِ هُناك	نَدِيم يُحِبُّ السِّباحَة

2. بِماذا (with what) تَشْتَهِرُ مِصْرُ؟

بِ ....

الجِّبال وَالغابات	السِّياحَةِ والآثار

3. أَيْنَ (where) تَقَعُ بَيْروت؟

عَلى ....

ساحِلِ البَحْرِ الأَبْيَضِ المُتَوَسِّط	ساحِلِ البَحْرِ الأَحْمَر

3) أُكْتُبِ الـمَعنى الـمُقابِلَ بِاللُّغَةِ العَرَبِيَّةِ لِـما بَيْنَ الأَقواسِ (إتبع الـمِثال):

Write, in Arabic, the meaning of the words between the brackets (one has been done for you):

تَسْكُنُ (she lives) مَرْوَةُ فِي تُونُس. تُونُسُ بَلَدٌ جَمِيلٌ وَفِيهِ مَزارِعُ كَثِيرَةٌ.

تَذْهَبُ مَرْوَةُ إلى .... (tourists places)

على ساحِلِ البَحْرِ فِي .... (the north).

يُوجَدُ فِي مِصْر .... (River Nile)، وَهُوَ أَطوَلُ

نَهْرٍ فِي العالَمِ. يَتَكَلَّمُ الـمِصْرِيُّونَ ....

(the Arabic language).

ذَهَبَ نَدِيمٌ .... (to Lebanon). يَذْهَبُ نَدِيمٌ

إلى لُبْنان .... (in the summer).

أُمُّهُ .... (Lebanese)، جَدَّتُهُ وَ...................

.... (his aunts) هُناك. يَقْضِي نَدِيمٌ الصَّيْفَ فِي بَيْرُوت

.... (capital city) لُبْنان. وَهِيَ مَدِينَةٌ جَمِيلَةٌ وَ................... (big).

4) أُكْتُبِي الـفِعْلَ الـمُناسِبَ فِي الـفَراغِ لِتُكَوِّنِي جُمْلَةً فِعْلِيَّةً:

Write the suitable verb in the space to make verbal sentences:

1. .... الـمِصْرِيُّونَ اللُّغَةَ العَرَبِيَّةَ.

2. .... مَرْوَةُ فِي تُونُس.

3. .... نَدِيمٌ فِي الصَّيْفِ إِلَى بَيْرُوت.

4. .... مَرْوَةُ السِّبَاحَةَ فِي الصَّيْفِ.

5. .... مِصْر بِالسِّيَاحَةِ وَالآثار.

6. .... الفَرَاعِنَةُ الأَهْرَامَاتِ قَبْلَ آلافِ السِّنِين.

7. .... هُدى إِلَى مِصْر فِي عُطْلَةِ الصَّيْف.

5) أَنْظُرُ إِلَى الصُّوَرِ وَامْلَأ الـمُرَبَّعَات بِالكَلِمَةِ الـمُنَاسِبَةِ:

Look at the pictures and fill in the crossword with the correct verbs:

الإختبار الثاني   Test 2

إختبار

أَجِبْ عَنِ الأَسْئِلَة. صَحِّحِ الأَجْوِبَةَ وَضَعِ الدَّرَجَةَ الـمُناسِبَة.

Answer the questions. Mark your answers and fill in your score.

- *Sentences for listening questions 2 and 3 are on the CD; alternatively, the teacher chooses the sentences and says them out aloud for each part of the questions.*
- *(5 marks are for good handwriting).*

---

1 (أ) إِقْرَأْ كُلّاً مِنَ النُّصُوصِ التّالِيَةِ بِصَوتٍ عالٍ (درجة واحدة)

(ب) أَجِبْ عَلى الأَسْئِلَةِ شَفَهِيّاً (درجتان):

(a) Read the following text out loud (1 mark)
(b) Answer the questions orally (2 marks):

1

غُرْفَةُ الـجُلُوسِ كَبِيرَةٌ، تَقَعُ فِي وَسَطِ البَيْتِ. الـمَطْبَخُ مُرَبَّعٌ وَفِيهِ شَبابِيكُ كَبِيرَةٌ تُطِلُّ على الـحَدِيقَة. الـحَدِيقَةُ كَبِيرَةٌ وفِيها أَشْجارٌ عالِيَةٌ.

---

1. أَيْنَ (where) تَقَعُ غُرْفَةُ الـجُلوس؟

2. صِفْ (describe) الـمَطْبَخ؟

/ 3

2

قالَت أُمّي: "رَتِّبوا الغُرْفَةَ وَضَعُوا الكُتُبَ على الرَّفِّ، واتْرُكُوا الحاسُوبَ فَوْقَ المَكْتَبِ".

سالي: سُونيا ودانْيَل تَزورانِ بَيْتَنا اليَوْمَ.

1. أَيْنَ (where) يَضعُونَ الكُتُبَ؟ وَأَيْنَ الحاسُوبَ؟

2. مَنْ (who) تَزورُ سالِي؟

/ 3

3

فاطِمَة: أَنا نَحِيفَةٌ وَقَصِيرَةٌ لَوْنُ شَعْرِي أَصْفَرُ، وَلَوْنُ عُيُونِي زَرْقاءُ.

أُمّي طَوِيلَةٌ وَنَحِيفَةٌ، لَوْنُها أَبْيَض، وَشَعْرُها أَسْوَدُ. تَلْبَسُ أُمّي ثَوْباً أَزْرَقُ، وَقُبَّعَةً حَمْراءُ.

أُخْتِي الكَبِيرَةُ نَدى، لَوْنُها أَسْمَرُ، هِيَ طَوِيلَةٌ وَنَحِيفَة.

1. صِفْ (describe) أُمَّ فاطِمَة؟

2. ما (what) لَوْنُ أُخْتِ فاطِمَة؟

/ 3

4

يَذْهَبُ حامِدٌ إلى مُوَظَّفِ الجَوازاتِ. يَطْلُبُ مِنْهُ المُوَظَّفُ جَوازَ سَفَرِهِ وتَذْكِرَةَ السَّفَرِ. ثُمَّ يَطْلُبُ مِنْهُ أَن يَضَعَ حَقِيبَتَهُ على المِيزانِ. يَرْكَبُ حامِدٌ الطّائِرَةَ وَيَجْلِسُ فِي مَقْعَدٍ قُرْبَ الشُّبّاكِ.

1. ماذا (what) طَلَبَ مُوَظَّفُ الْجَوازاتِ مِن حامِد أَوَّلاً؟

2. أَيْنَ (where) يَجْلِسُ حامِد؟

/ 3

5

صَعَدَت سَلْمى إلى الشُّرْفَةِ وَبَدَأَتْ تَنْظُرُ إلى البَحْرِ. كانَ الـمَنْظَرُ جَميلاً جِداً. وَفَجْأَةً رَأَتْ جِسْماً كَبيراً يَتَحَرَّكُ فِي البَحْرِ. نَظَرَت إلَيْهِ فَوَجَدَتْهُ دولْفيناً كَبيراً يَقْفِزُ فِي الـماءِ. أَخَذَت سَلْمى صُوَراً لِلدُّولْفينِ، وَكانَت سَعيدَةً جِداً لِأَنَّها أَوَّلُ مَرَّةٍ تَرى دولْفيناً.

1. أَيْنَ (where) صَعَدَت سَلْمى؟ ماذا (what) رَأَت سَلْمى فِي الشُّرْفَةِ؟

2. لِـماذا (why) كانت سَلْمى سَعيدَةً؟

/ 3

6

مِصْرُ بَلَدٌ كَبيرٌ وَجَميلٌ. تَشْتَهِرُ مِصْرُ بِالسِّياحَةِ وَالآثارِ، وَخاصَّةً الأَهْراماتُ الَّتي بَناها الفَراعِنَةُ قَبْلَ آلافِ السِّنينِ. يَتَكَلَّمُ الـمِصْرِيُّونَ اللُّغَةَ العَرَبِيَّةَ. تُحِبُّ مَرْوَةُ السِّباحَةَ فِي الصَّيْفِ. تُوجَدُ الأَسْواقُ الـجَميلَةُ فِي وَسَطِ الـمَدينَةِ. يَتَكَلَّمُ التُّونِسِيُّونَ اللُّغَتينِ العَرَبِيَّةَ وَالفَرَنْسِيَّةَ.

1. بِـماذا (with what) تَشْتَهِرُ مِصْرُ؟

2. ماذا (what) يَتَكَلَّمُ التُّونِسِيُّونَ؟

/ 3

2 إِرسِمْ دائرَةً حَولَ الصُّورَةِ الّتي تُناسِبُ الجُمْلَةَ التي تَسْمَعُها:

Draw a circle around the picture that suits the sentence you hear:

1

2

3

4

5

6

7

8

9

10

/ 10

3 إسْتَمِعي إلى الْـجُمْلَةِ وَضَعي X في الـمُرَبَّعِ أَمامَ الْـجُمْلَةِ الصَّحيحَةِ:

Listen to the sentence and put a X in the correct box:

1.الـمَطْبَخُ مُسْتَطيلٌ.	☐	الـمَطْبَخُ مُرَبَّعٌ.	☐
2. يَطْلُبُ الـمُوَظَّفُ العَصيرَ.	☐	جَوازَ السَّفَرِ.	☐
3. سالِمٌ طَويلٌ وَعُيُونُهُ بُنِّيَّة.	☐	سالِمٌ طَويلٌ وَعُيُونُهُ سَوداءُ.	☐
4. الطّابِقُ الأَوَّلُ فيهِ مَسْبَحٌ.	☐	الطّابِقُ الأَوَّلُ فيهِ سينَما.	☐
5. غُرْفَتي تُطِلُّ على الـحَديقَة.	☐	غُرْفَتي تُطِلُّ على الشّارِعِ.	☐
6. تُـحِبُّ مَرْوَةُ السِّباحَةَ.	☐	تُـحِبُّ مَرْوَةُ السَّفَرَ.	☐
7. بَيْروت عاصِمَةُ لُبْنان.	☐	الإسْكَنْدَرِيَّةُ عاصِمَةُ لُبْنان.	☐
8. تَرْتَفِعُ الطّائِرَةُ تَـحْتَ الغُيوم.	☐	تَرْتَفِعُ الطّائِرَةُ فوقَ الغُيوم.	☐
9. نُريدُ أَن نَشْتَرِيَ أَثاثاً جَديداً.	☐	نُريدُ أَن نَشْتَرِيَ لَوْحَةً جَديدَةً.	☐
10. فِي بَيْتِي ثَلاثُ غُرَفِ نَوْمٍ.	☐	فِي بَيْتِي ثَماني غُرَفِ نَوْمٍ.	☐

/10

4 إقْرَئي الفَقَراتِ التّالِيَةَ وَأَجيبي على الأَسْئِلَة:

Read each of the following paragraphs and answer the question:

1. كانَت سَلْمى سَعيدَةً جِداً لِأَنَّها أَوَّل مَرَّةٍ تَرى دُولْفيناً.

لِماذا كانَت سَلْمى سَعيدَةً؟

....

2. ذَهَبَت أُمِّي إلى الـمَطْبَخِ لِتُعِدَّ طَعامَ الغَداء. كُنّا جائِعِينَ، وَكان الطَّعامُ لَذِيذاً.

لِماذا ذَهَبَت الأُمُّ إلى الـمَطْبَخ؟

....

3. أُخْتِي الكَبِيرَةُ نَدى، لَوْنُها أَسْمَرُ، هِيَ طَوِيلَةٌ وَنَحِيفَةٌ. شَعْرُها بُنِّيٌّ. تَلْبَسُ ندى تَنُّورَةً سَوْداءَ وقَمِيصاً أَبْيَض.

ماذا تَلْبَسُ ندى؟

....

4. يَذْهَبُ حامِدٌ إلى الـكافِتِريا لِيَشْرَبَ العَصِير. بَعْدَ ساعَةٍ يَذْهَبُ حامِدٌ إلى قاعَةِ الإِنْتِظارِ لِيَنْتَظِرَ الطّائِرَة.

لِـماذا يَذْهَبُ حامِدٌ إلى الكافِيتِريا؟

....

5. سالِي: سُونْيا وَدانْيَل قالَتا لِي: "أَجْمَلُ ما فِي الغُرْفَةِ هُما اللَّوْحَتانِ الـمُعَلَّقتانِ عَلى الـحائِطِ".

ما أَجْمَل شيءٍ فِي غُرْفَةِ سالِي؟

....

/10

5 إِخْتَرِ الكَلِمَةَ الـمُناسِبَةَ وَاكْتُبْها فِي الفَراغ، ثُمَّ أُكْتُبْ رَقْمَ الـجُمْلَةِ فِي الـمُرَبَّعِ داخِلَ الصُّورَةِ الـمُناسِبَة:

Choose the correct word and write it in the space, then write the number of the sentence in the suitable box:

1. يَقَعُ بَيْتِي الـجَدِيدُ فِي .... شارِعٍ عَرِيضٍ وَتُوجَدُ فِي نِهايَةِ الشّارِعِ أَسْواقٌ كَبِيرَةٌ وَحَدائِقُ لِلْأَطْفالِ. (أَمام/وَسَط)

2. ذَهَبَ حامِد إِلى قاعَةِ إِسْتِقْبالِ .... وَوَجَدَ أَقارِبَهُ بِانْتِظارِه. حَكى حامِدٌ لِأَقارِبِه عَن رِحْلَتِهِ وَكَم كانَت مُـمْتِعَةً. (الـمُغادِرِين/القادِمِين)

3. شُبّاكا غُرْفَتِي .... على الشّارِع. (يُطِلّان/ يُعَلِّقان)

4. يَلْبَسُ .... سِرْوالاً بُنِّيّاً وَقَمِيصاً أَصْفَر وَسُتْرَةً سَوداء. (عَمِّي/ عَمَّتِي)

/8

6 أُكْتُب الـمَعنى الـمَقابِلَ لِلْكَلِمَةِ ما بَيْنَ الأَقْواس:

Write the meaning of the words in Arabic between the brackets:

1. .... (I put) مَلابِسِي فِي الـخِزانَة. .... (I tidy up) أَغْراضِي وَكُتُبِي. أَصْبَحَت .... (my room) جَمِيلَةً وَمُرَتَّبَة.

2. تَشْتَهِرُ مِصْرُ بِـ............... (tourism) وَ ....

(monuments)، وَخاصَّةً .... (pyramids).

3. .... (took off) الطّائِرَةُ وَحامِدٌ .... (look at)

مِنَ الشُّبّاك، كانَ .... (the view) جَميلاً.

4. أُخْتِي الـ............ (big) نَدى، طَويلَة وَ............ (slim)، شَعْرُها

.... (brown)، وَتَلْبَسُ .... (skirt)سَوْداء.

/ 13

7 أُرْبُطْ بَيْنَ العِبارَةِ فِي العَمودِ الأَيْمَنِ وَما يُناسِبُها فِي العَمودِ الأَيْسَرِ:

Draw a line between each part of a sentence on the right with the part that completes it on the left:

الطّائِرَةُ تُحَلِّقُ فِي الجَوِّ	وَلَوْنُ جُدْرانِها أَزْرَق
رَكِبَت سَلْمى السَّفينَةَ	وَأَلْوانُها جَذّابَة
غُرْفَتِي شَكْلُها مُسْتَطيلٌ	وَبَدَأَت تَتَجَوَّلُ فيها
الوُرودُ جَميلَةٌ	فِي وَسَطِ المَدينَةِ
تَلْبَسُ أُمّي ثَوْباً أَزْرَق	وَتَرْتَفِعُ شَيْئاً فَشَيْئاً
تُوجَدُ الأَسْواقُ الجَميلَةُ	وَقُبَّعَةً حَمْراء

/ 6

8 إخْتارِي الفِعْلَ الـمُناسِبَ واكْتُبِيهِ فِي الفَراغِ ثُمَّ اكْتُبِي رَقْمَ الـجُمْلَةِ داخِلَ الـمُرَبَّعِ الـمُناسِب:

Choose the suitable verb and write it in the space, then write the number of the picture in the suitable box:

يَقَعُ - إحْمِلْ - سافَرَ - أَقْلَعَت

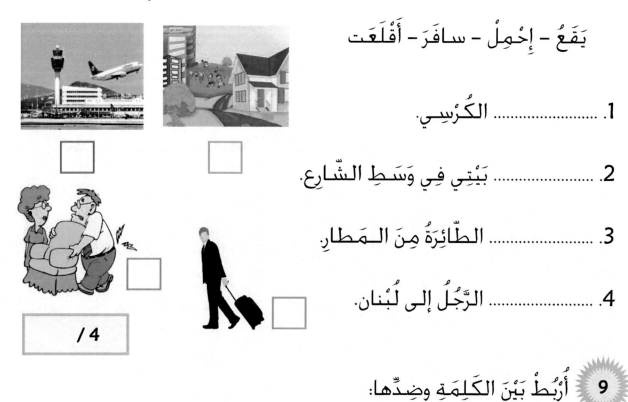

1. .... الكُرْسِي.
2. .... بَيْتِي فِي وَسَطِ الشّارِعِ.
3. .... الطّائِرَةُ مِنَ الـمَطارِ.
4. .... الرَّجُلُ إلى لُبْنان.

/4

9 أُرْبُطْ بَيْنَ الكَلِمَةِ وضِدِّها:

Draw a line between each word and its opposite meaning:

كَبير	قَبْلَ
بَعْدَ	قَدِيم
جَدِيد	صَغِير

كَثير	فَوْق
نِهايَة	قَلِيل
تَحْتَ	بِدايَة

/6

10 أُنْظُري إلى الصّورَةِ وَاخْتارِي الكَلِماتِ المُناسِبَةَ واكْتُبِيها في الفَراغ:

Look at the pictures and underline the suitable words then write them in the spaces:

1. سَمِينٌ - سِرْوالاً - تَنّورَة - نَحِيف - أَخْضَر - أبيَض - قَمِيصاً - بُنِّيٌّ

خالِي .... وَشَعْرُهُ .... يَلْبَس

.... لَوْنُهُ................ وَ .... لَوْنُهُ ....

2. طائِرَة - المَطار - سَفِينَة - مِيناء - جَوازَ السَّفَرِ - يَطْلُب - يَذْهَب

فِي .... مُوَظَّفُ الجَوازاتِ

مِن حامِد .... وَتَذْكِرَةَ السَّفَر.

3. الوُرود - زَرقاء - أَمام - الغُيُوم - جَدِّي - أَشْجارٌ - وَراء - جَدَّتِي - الجَوُّ

أَجْلِسُ مَعَ .... فِي الحَدِيقَةِ ....

البَيْت. فِي الحَدِيقَةِ .... عالِيَةٌ.

وَالسَّماءُ .... وَ .... جَمِيلٌ.

4. الأَهْرامات - أَقْصَرُ - تُسافِرُ - بَيْروت - العالَم - أَطْوَلُ - مِصْر - النِّيل - السِّياحَة - الآثار

.... ندى إلى .... تَذْهَبُ ندى إلى

.... يُوجَد فِي مِصْر نَهْرُ ....

وَهُوَ .... نَهْرٍ فِي ....

/10

Total: /100

الوحدة الخامسة

UNIT 5

13 فِي أَيِ يَوْمٍ مِيلادِي؟

القِراءة

Reading

1- مَرْحَباً أَنا إِسْمِي **كَرِيــم**، عُمْرِي عَشْرُ سَنواتٍ.

مِيلادي فِي اليَومِ الثّامِنِ مِنَ الشَّهْرِ الـخامِس.

أَنا **شِيرِين**، عُمْرِي تِسْعُ سَنَواتٍ. مِيلادي فِي الأَوَّلِ

مِنَ الشَّهْرِ الـخامِس.

أَنا **لِينَة**، عُمْرِي تِسْعُ سَنواتٍ. مِيلادِي فِي السّابِعِ

مِنَ الشَّهْرِ الثّالِث.

أَنا **باسِل**، عُمْرِي عَشْرُ سَنَواتٍ. مِيلادِي فِي السّادِسِ

مِنَ الشّهْرِ الـخامِس.

كَرِيــم وَباسِل: نَحْنُ عُمْرُنا عَشْرُ سَنواتٍ.

شِيرِين ولِينة: نَحْنُ عُمْرُنا تِسْعُ سَنواتٍ.

كَرِيــم وَباسِل وَشِيرِين: نَحْنُ مِيلادُنا فِي الشَّهْرِ الـخامِس.

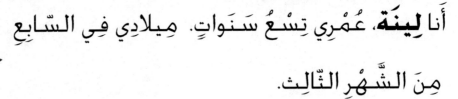

2- **مَرْوَة:** سَأَحْتَفِلُ بِيَوْمِ مِيلادِي بَعْدَ أُسْبُوعٍ، سَيُصْبِحُ عُمْرِي تِسْعَ سَنَواتٍ. وَأَنْتِ يا آمِنَة؟

آمِنَة: أَنا مِيلادِي فِي الشَّهْرِ القادِم. سَيُصْبِحُ عُمْرِي تِسْعَ سَنَواتٍ أَيْضاً!

أَسْماء: أَنْتُما **مَرْوَةُ وآمِنَة**، سَيُصْبِحُ عُمْرُكُما تِسْعَ سَنَواتٍ.

مَرْوَة: وَأَنْتِ يا أَسْماءُ، مَتى يَوْمُ مِيلادِكِ؟

أَسْماء: أَنا مِيلادِي فِي الشَّهْرِ السّادِسِ. سَيُصْبِحُ عُمْرِي تِسْعَ سَنَواتٍ أَيْضاً!

عَلِيّ: أَنا مِيلادِي فِي الشَّهْرِ الثّامِنِ، سَيُصْبِحُ عُمْرِي إِحْدى عَشْرَةَ سَنَةً. وَأَنْتَ يا بَهاءُ مَتى مِيلادُكَ؟

بَهاء: مِيلادِي فِي الشَّهْرِ الثّامِن، وَسَيُصْبِحُ عُمْرِي إِحْدى عَشْرَةَ سَنَةً أَيْضاً! وَأَنْتَ يا سَعِيدُ مَتى مِيلادُكَ؟

سَعِيد: مِيلادِي فِي الشَّهْرِ الثّامِنِ، سَيُصْبِحُ عُمْرِي عَشْرَ سَنَواتٍ.

مَرْوَة: أَنْتُما **عَلِيٌّ** و**بَهاءُ** سَيُصْبِحُ عُمْرُكُما إِحْدى عَشْرَةَ سَنَةً!

بَهاء: وَأَنْتُنَّ **مَرْوَةُ** و**آمِنَةُ** و**أَسْماءُ**، سَتُصْبِحْنَ تِسْعَ سَنَواتٍ.

أَسْماء: وَأَنْتُم، **عَلِيٌّ** و**بَهاءُ** و**سَعِيدُ** مِيلادُكُم فِي الشَّهْرِ الثّامِنِ.

التعبير الشفهي
Oral expression

أَجِبْ على الأسئلَةِ شَفَهِيّاً
Answer the questions orally

مَن (who) مِنَ (from) الأَولاد مِيلادُهُ فِي الشَّهْرِ الثّامِنِ؟

كَمْ عُمْرُ (how old) باسِل وَمَتى (when) مِيلادُهُ؟

مَتى (when) سَتَحْتَفِلُ مَرْوَةُ بِمِيلادِها؟ وَكَمْ سَيُصْبِحُ عُمْرُها؟

مَن (who) مِنَ (from) الأَولاد سَيُصْبِحُ عُمْرُهُ إِحدى عَشْرَةَ سَنَةً؟

مفردات
Vocabulary

أَنا : I — 1st Person مُتَكَلِّم	عُمْرُنا : our age
عُمْرِي : my age	مِيلادُنا : our birthday
مِيلادِي : my birthday	سَأَحْتَفِل : I will celebrate
الشَّهْر : (the) month	أُسْبُوع : week
نَحْنُ : we — 1st Person plural مُتَكَلِّم	سَيُصْبِح : (he/it) will be

2nd Person masc. مُخاطَب you : أَنْتَ	2nd Person dual مُخاطَب you : أَنْتُما
your (masc.) birthday : مِيلادُكَ	your (dual) age : عُمْرُكُما
2nd Person fem. pl. مُخاطَب you : أَنْتُنَّ	2nd Person fem. مُخاطَب you : أَنْتِ
(you; fem. pl.) will be : سَتُصْبِحْنَ	when : مَتى
2nd Person masc. pl. مُخاطَب you : أَنْتُم	your (fem.) birthday : مِيلادُكِ
your (plural) birthday : مِيلادُكُم	too/also : أَيضاً

عبارات
Expressions

welcome : مَرْحَباً

ten years : عَشْرُ سَنواتٍ

the eighth day : اليَوْمُ الثّامِن

the fifth month : الشَّهْرُ الخامِس

next month : الشَّهْرُ القادِم

أَتَعَلَّمُ أَنَّ الضَّمائِرَ ثَلاثَةُ أَقسام:

1. ضَمِيرُ المُتَكَلِّم 2. ضَمِيرُ المُخاطَب 3. ضَمِيرُ الغائِب

ضَمائِرُ المُتَكَلِّم: هِيَ أَسْماءٌ يَسْتَعْمِلُها المُتَكَلِّمُ بَدَلاً مِن الإِسْمِ الظاهِرِ لأَنَّهُ يُؤَدِّي إِلى فَهْمٍ صَحِيحٍ لِلْكَلام.

ضَمائِرُ المُخاطَب: هِيَ أَسْماءٌ يَسْتَعْمِلُها المُتَكَلِّم لِتَوْجِيهِ الكَلامِ إِلى المُخاطَب بَدَلاً مِنَ اِسْتِعْمالِ اِسْمِه.

I learn that, there are three types of pronouns in Arabic:

1. The first person   2. The second person   3. The third person

First person pronouns are nouns used by the speaker instead of the name to give a correct understanding of the speech.

Second person pronouns are nouns used by the speaker when he speaks to another person(s) instead of using his/their name(s).

أَنا كَرِيـــم (singular masculine)

أَنا شِـيرين (singular feminine)

نَحْنُ كَرِيـــم وَبـاسِـل (dual masculine)

نَحْنُ شِيرين وَلِينا (dual feminine)

نَحْنُ كَرِيـــم وَبـاسِـل وعَلِي (plural masculine)

نَحْنُ شِـيرين وَلِينا وَمَرْوَة (plural feminine)

نَحْنُ كَرِيـــم وَبـاسِـل وَلِينَة (plural masculine and feminine)

ضَمائِرُ الـمُتَكَلِّم
1st Person Pronouns

أَنتَ يا بَهاء (singular masculine)

أَنْتِ يا آمِنَة (singular feminine)

أَنْتُـما يا عَلِي وَبَهاء (dual masculine)

أَنْتُـما يا مَرْوَة وَآمِنَة (dual feminine)

أَنْتُم يا عَلِي وَبَهاء وَسَـعِـيد (plural masculine)

أَنْتُنَّ يا مَرْوَة وَآمِنَة وَأَسْـماء (plural feminine)

ضَمائِرُ الـمُخاطَب
2nd Person Pronouns

الإملاء Spelling

مَرْوَة: سَأَحْتَفِلُ بِيَومِ مِيلادِي بَعْدَ أُسْبوعٍ، سَيُصْبِحُ عُمْرِي تِسْعَ سَنَواتٍ.

عَلِيّ: أَنا مِيلادي فِي الشَّهْرِ الثّامِنِ، سَيُصْبِحُ عُمْرِي إِحْدى عَشْرَةَ سَنَةً.

أُنظُر وَاكتُب Look and write

أَنا باسِل، عُمْرِي عَشْرُ سَنَواتٍ. مِيلادِي فِي السّادِسِ مِنَ الشَّهْرِ الخامِس. أَنْتُما مَرْوَةُ وآمِنَة، سَيُصْبِحُ عُمْرُكُما تِسْعَ سَنَواتٍ.

Exercises التمارين

Listening exercise تمرين استماع

1) إِسْتَمِعْ إِلى الْجُمْلَة وارسِمْ دائرَةً حَولَ الجَوابِ الصَّحيحِ داخِلَ الاَقْواس:

Listen to the sentence then draw a circle around the correct answer:

1. عُمْرُ باسِل	(تِسْعُ سَنوات)	(عَشْرُ سَنوات)
2. مِيلادُ لِينَة فِي الشَّهْرِ	(الثّامِن)	(الثّالِث)
3. سَتَحْتَفِلُ مَرْوَةُ بِيَوْمِ مِيلادِها	(بَعْدَ أُسْبُوع)	(بَعْدَ شَهْر)
4. عُمْرُ مَرْوَة وَآمِنَة	(سَبْعُ سَنوات)	(تِسْعُ سَنوات)
5.مِيلادُ بَهاء فِي	(الشَّهْرِ الثّامِن)	(اليَوْمِ الثّامِن)
6. مَرْوَةُ وَآمِنَةُ وَأَسْماءُ سَيُصْبِحْنَ	(تِسْعَ سَنَواتٍ)	(إِحْدى عَشْرَةَ سَنَةً)

Writing exercises تمارين كتابة

2) إقْرَئي الفَقَرَةَ التّالِيَة ثُمَّ أَكْمِلِي الفَراغات بِالأَجْوِبَةِ الصَّحِيحَةِ:

Read the following paragraph, and write the correct answers in the spaces:

أَنا شِيرِين، عُمْرِي تِسْعُ سَنَواتٍ. مِيلادِي فِي الأَوَّلِ مِنَ الشَّهْرِ الخامِس.

بَهاء: مِيلادي فِي الشَّهْرِ الثّامِن، وَسَيُصْبِحُ عُمْرِي إِحْدى عَشْرَةَ سَنَةً.

أَسْماء: وَأَنْتُم، عَلِيٌّ وَبَهاءُ وسَعِيدُ مِيلادُكُم فِي الشَّهْرِ الثّامِنِ.

كَرِيم وَباسِل وَشِيرِين: نَحْنُ مِيلادُنا فِي الشَّهْرِ الخامِس.

1) مِيلادُ عَلِيّ وَ .... وَ .... فِي الشَّهْرِ الثّامِنِ.

2) سَيُصْبِحُ عُمْرُ بَهاء ....

3) مِيلادُ شِيرِين فِي ....

4) قالَت .... مِيلادُ عَلِيٍّ وَبَهاءُ وسَعِيدُ فِي الشَّهْرِ الثّامِنِ.

5) عُمْرُ .... تِسْعُ سَنَواتٍ.

3) إِخْتَرِ الضَّمِيرَ المُناسِبَ واكْتُبْهُ فِي الفَراغ:

Choose the correct pronoun and write it in the space:

1. .... يا كَرِيمُ كَم عُمْرُكَ؟

كَرِيم: .... عُمْرِي عَشْرُ سَنَواتٍ. (أَنْتِ / أَنتَ / أَنا / أَنْتُما)

2. .... يا مَرْوَةُ وَآمِنَةُ وَأَسْماءُ، سَتُصْبِحْنَ تِسعَ سَنَواتٍ. (أَنتُم / أَنْتُنَّ)

3. .... عَلِيٌّ وَبَهاءُ سَيُصْبِحُ عُمْرُكُما إِحْدى عَشْرَةَ سَنَةً. (أَنْتُم / أَنْتُما)

4. .... شِيرِين ولِينة عُمْرُنا تِسْعُ سَنَواتٍ. (نَحْنُ / أَنْتُما)

5. .... يا آمِنَة، مَتى مِيلادُكِ؟ (أَنْتِ / أَنا)

4) أُكْتُب الـمَعنى الـمُقابِلَ بِاللُّغَةِ العَرَبِيَّة لِـما بَيْنَ الأَقواس (إتبع الـمِثال):

Write, the Arabic, meaning in the space (one has been done for you):

1. كَـريـم وَباسِـل وَشيـرين: نَحْنُ (we) مِيلادُنا فِي الشَّهْرِ الـخامِس.

بَهاء: .... (my birthday) فِي الشَّهْرِ الثّامِن، ....

.... (my age will be) إِحْدى عَشْرَةَ سَنَةً .... (too) .

2. أَسْماء: .... (you) مَرْوَةُ وآمِنَة، سَيُصْبِحُ عُمْرُكُما تِسْعَ سَنَواتٍ.

.... (I am) مِيلادي فِي .... (the sixth month).

سَيُصْبِحُ عُمْري أَيْضاً تِسْعَ سَنَواتٍ!

3. أَسْماء: .... (you)عَلِيٌّ وَبَهاءُ وسَعِيد، .... (your

birthday) فِي الشَّهْرِ الثّامِنِ.

بَهاء: .... (you) مَرْوَةُ وَآمِنَةُ وَأَسْماءُ، ....

(you will be) تِسْعُ سَنَواتٍ.

مَرْوَة:............(I will celebrate) بِيَوْمِ مِيلادي

.... (after a week).

4. .... (I am) لِينَة، عُمْري تِسْعُ سَنَواتٍ. .... (my

birthday) فِي............ (seventh day) مِنَ الشَّهْرِ الثّالِث.

شِيرين ولِينَة: .... (we) عُمْرنا .... (nine years).

5) صِلْ بَيْنَ الكَلِماتِ فِي الوَسَطِ وَمَا يُناسِبُها مِنَ الصُّوَرِ:

Connect the two words in the middle with the suitable picture:

6) إخْتارِي الضَّميرَ المُناسِبَ واكْتُبيهِ فِي الفَراغِ.

Choose the correct pronoun and write it in the space:

أنا - نَحْنُ - أَنْتَ - أَنْتِ - أَنْتُما - أَنْتُم - أَنْتُنَّ

1. .... يا بَهاءُ مَتى مِيلادُكَ؟
2. .... باسِل، عُمْري عَشْرُ سَنَواتٍ.
3. .... عَلِيٌّ وَبَهاءُ سَيُصْبِحُ عُمْرُكُما إِحْدى عَشْرَةَ سَنَةً.
4. آمِنَة: .... مِيلادي فِي الشَّهْرِ القادِمِ.
5. شِيرين ولِينة: .... عُمْرنا تِسْعُ سَنَواتٍ.
6. .... مَرْوَةُ وَآمِنَةُ وَأَسْماءُ، سَتُصْبِحْنَ تِسْعَ سَنَواتٍ.
7. ....عَلِيٌّ وَبَهاءُ وسَعِيدُ مِيلادُكُم فِي الشَّهْرِ الثّامِنِ.
8. أَسْماء: .... مَرْوَةُ وآمِنَة، سَيُصْبِحُ عُمْرُكُما تِسْعَ سَنَواتٍ.

أَيّام الأُسْبوع 14

القِراءة
Reading

مَرْحَباً أَنا **بَسّام**، يَوْمُ مِيلادي هُوَ الإثْنَيْنُ القادِمُ. سَيُصْبِحُ عُمْري عَشَرَ سَنَواتٍ. أَخِي الصَّغِيرُ **رامِي** عُمْرُهُ ثَماني سَنَواتٍ.

الْجُمُعَةُ هُوَ يَوْمُ مِيلادِهِ. هُوَ أَصْغَرُ مِنِّي بِسَنَتَيْنِ. وَيَوْمُ مِيلادِ أُخْتِي **سُعاد** يَوْمُ الأَرْبِعاءِ. هِيَ سَتُصْبِحُ خَمْسَ سَنَواتٍ. هِيَ أَصْغَرُ مِنِّي بِ 5 سَنَواتٍ.

أَنا **سالِم**، يَوْمُ مِيلادِ أَخَوايَ **أَحْمَد وَماهِر** هُوَ يَوْمُ الثُّلاثاء. هُما تَوْأمان، سَيُصْبِحُ عُمْرُهُما 4 سَنَواتٍ.

مَرْحَباً أَنا **ياسْمِين**. سَنَحْتَفِلُ يَوْمَ الأَحَدِ مَعَ أَقارِبِنا وَأَصْدِقائِنا بِيَوْمِ مِيلادِ أُخْتايَ الصَّغِيرَتَينِ **زَيْنَب وَآمِنَة**. زَيْنَب عُمْرُها 4

سَنَواتٍ وَآمِنَة عُمْرُها 3 سَنَواتٍ. هُما وُلِدَتا فِي نَفْسِ اليَوْمِ! أُمّي وَعَمَّتِي وَخالَتِي سَيَطْبُخْنَ طَعاماً لَذيذاً. هُنَّ سَيَصْنَعْنَ كَعْكَةَ الشُّوكُولاتَةِ اللَّذيذَةَ مِثْلَ كُلِّ سَنَةٍ.

أَنا **مُؤَيَّد**، سَأَحْتَفِلُ مَعَ أَصْدِقائِي يَوْمَ الخَميسِ القادِمِ بِميلادِي. سَنَذْهَبُ إِلى السّينما. هُمْ سَيُحَضِّرُونَ لِي مُفاجَأَةً جَميلَةً!

أَنا **زَهْراء**، ميلادِي يَوْمُ السَّبْتِ القادِمِ. دَعَوْتُ صَديقاتِي إِلى حَفْلَةٍ فِي بَيْتِي. هُنَّ سَيَأْتِينَ إِلى الحَفْلَةِ بَعْدَ الظُّهْرِ.

أَنا **سَميرَة**، ميلادِي يَوْمُ الجُمُعَة. سَأَذْهَبُ مَعَ أَخَوايَ **مَحْمُود** وَ**مُهَنَّد** وَأُخْتِي **ريم** إِلى المَطْعَمِ. هُمْ سَيَجْلِبُونَ لِي هَدايا جَميلَةً!

التعبير الشفهي
Oral expression

أَجيبِي عَلى الأَسئِلَةِ شَفَهِيّاً
Answer the questions orally

مَن (who) مِنَ (from) الأَولادِ ميلادُهُ يَوْمَ الخَميسِ؟

لِـماذا (why) سَـتَحْـتَفِلُ يـاسْـمِـينُ يَـوْمَ الأَحَـدِ؟

مَنْ (who) سَـيَـصْـنَـعُ كَـعْـكَـةَ الـشُـوكُـولاتَـةِ اللَّـذِيـذَةَ؟

إلـى ماذا (to what) دَعَـت زَهْـراءُ صَـدِيـقـاتِـها؟ وَأَيْن (where)؟

مفردات

Vocabulary

مِـيلادِي : my birthday	وُلِـدَتـا : (They; fem. dual) were born
الإِثْـنَين : Monday	سَـيَـطْـبُـخْـنَ : (They; fem. pl.) will cook
عُـمْـرُهُ : his age	هُـنَّ : they (feminine plural)
الـجُـمْـعَـة : Friday	سَـيَـصْـنَـعْـنَ : (They; fem. pl.) will make
مِـيلادِهِ : his birthday	الـخَـمِـيس :Thursday
هُـوَ : he	سَـنَـذْهَـبُ : We will go
الأَرْبِـعـاء : Wednesday	هُـم : they (masculine plural)
هِـيَ :she	سَـيُـحَـضِّـرُونَ : (They; masc. pl.) will prepare
الثُّلاثـاء : Tuesday	مُـفـاجَـأَة : surprise
هُـما : they (dual)	السَّـبْـت : Saturday
تَـوأَمـان : twins	دَعَـوْتُ : I invited
الأَحَـد : Sunday	سَـيَـأْتِـيـنَ : (They; fem. pl.) will come

(They; masc. pl.) will bring : سَيَجْلِبُـون	afternoon : بَعدَ الظُّهْر
presents : هَدايا	my two brothers : أَخَـوايَ

عبارات
Expressions

أَخِـي الصَّغِير : my little brother

أَقارِبَنا : my relatives

أَصْدِقائنا : my friends

أُخْتايَ الصَّغِيرَتَين : my two young/little sisters

نَفْس اليَوْم : the same day

طَعاماً لَذِيذاً : delicious food

كَعْكَةُ الشُوكولاتَة : chocolate cake

مِثْلَ كُلِّ سَنَة : like every year

المَطْعَم : the restaurant

أَتَعَلَّم أَنَّ ضَمائِرُ الغائِب: أَسْماءٌ يَسْتَعْمِلُها المُتَكَلِّم لِلْحَدِيثِ عَن شَخْصٍ أَو شَيءٍ غَيْرِ مَوْجُودٍ بَدَلاً مِن اِسْتِعْمالِ اِسْمِه.

Third person pronouns are nouns used by the speaker when he speaks about a person or a thing that is absent instead of using his/its name.

ضَمائِرُ الغائِب
3rd Person Pronouns

هُوَ رامِي (singular masculine)

هِيَ سُعاد (singular feminine)

هُما أَحْمَد وَماهِر (dual masculine)

هُما زَيْنَب وَآمِنَة (dual feminine)

هُما رامِي وَسُعاد (dual masculine and feminine)

هُم سالِم وَأَحْمَد وَماهِر (plural masculine)

هُمْ بَسّام وَرامِي وَسُعاد (plural masculine and feminine)

هُنَّ ياسَمِين وَزَيْنَب وَآمِنَة (plural feminine)

الأضداد
Opposites

القادِم	next	≠	الماضِي	last
أَصْغَر	younger	≠	أَكْبَر	older
بَعْد	after	≠	قَبْل	before

Spelling الإملاء

زَهراء: مِيلادِي يَومُ السَّبْتِ القادِمِ. دَعَوتُ صَدِيقاتِي إِلى حَفْلَةٍ فِي بَيْتِي.

مُؤَيَّد: سَأَحْتَفِلُ مَعَ أَصْدِقائِي يَومَ الخَمِيسِ القادِمِ. سَنَذهَبُ إِلى السِّينِما.

أُنظُر وَاكتُب Look and write

يَوْمُ مِيلادِ أُخْتِي سُعاد يَوْمُ الأَرْبِعاء. هِيَ سَتُصْبِحُ خَمْسَ سَنَواتٍ. دَعَوْتُ صَدِيقاتِي إِلى حَفْلَةٍ فِي بَيْتِي. هُنَّ سَيَأْتِينَ إِلى الحَفْلَةِ.

التمارين Exercises

تمرين استماع Listening exercise

1) إِسْتَمِعْ إِلى الجُمْلَة، وارسِمْ دائِرَةً حَوْلَ الْجَوابِ الصَّحِيحِ داخِلَ الأَقْواس:

Listen to the sentence, and draw a circle around the correct answer between the brackets:

1. سَيَحْتَفِلُ مؤيَّد بِمِيلادِهِ يَوْمَ (السَّبْتِ القادِم) (الخَمِيس القادِم)

2. دَعَت زَهراءُ صَدِيقاتِها إلى حَفْلَةِ مِيلادِها فِي (المَطْعَم) (البَيْت)

3. أُخْتُ بَسَّام أَصْغَرُ مِنْهُ بِـ (8 سَنوات) (5 سَنوات)

4. سَتَحْتَفِلُ ياسْمِينُ بِمِيلادِ زَيْنَب وَآمِنَة يَوْم (الأَرْبعاء) (الأَحَد)

5. مِيلادُ سَمِيرَة يَومُ (الجُمُعَة) (الإِثْنَيْن)

تمارين كتابة Writing exercises

---

2) ضَعِي ✓ أو X بِما يُناسِب فِيما يَلي وَصَحِّحِي الخَطأ:

Put ✓ for true and X for false then correct the false sentence:

1. ياسْمِين: أُمِّي وَأَبِي سَيَصْنَعْنَ كَعْكَةَ الشُوكُولاتَة. (................)

....

2. بَسّام: أَخِي الصَّغِيرُ رامِي عُمْرُهُ ثَلاثُ سَنَواتٍ. (................)

....

3. سالِم: أَخَوايَ تَوأَمان، يَوْمُ مِيلادِهِما هُوَ الإِثْنَيْن. (................)

....

4. سَتَذْهَب سَمِيرَةُ يَوْمَ الجُمُعَة إلى المَطْعَم. (................)

....

3) أُنْظُر إلى الصُّوَرِ واكْتُبْ رَقْمَ كُلِّ جُمْلَةٍ تَحْتَ الصُّورَةِ المُناسِبَةِ:

Write the number of each sentence under the suitable picture:

1. هُما تَحْمِلانِ الهَدِيَّةَ.
2. في يَوْمِ مِيلادِي، هِيَ سَتَصْنَعُ كَعْكَةً.
3. هُما أَخَواي التَّوْأَمان.
4. هُمْ فِي المَطْعَم.

(.................) (.................) (.................) (.................)

4) أُكْتُبي المَعنى المُقابِلَ بِاللُّغَةِ العَرَبِيَّة لِما بَيْنَ الأَقواس:

Write, in Arabic, the meaning of the words between the brackets:

1. سَأَذْهَبُ مَعَ أَخَوايَ مَحْمُود وَمُهَنَّد .... (and my sister) رِيم إِلى المَطْعَم. .... (they) سَيَجْلِبُونَ لِي .... (presents) جَمِيلَةً!

2. زَيْنَب .... (her age) 4 .... (years) وآمِنَة عُمْرُها 3 سَنَواتٍ. .... (both) وُلِدَتا فِي .... (same day)!

3. .... (I will celebrate) مَعَ أَصْدِقائِي يَوْمَ .... (next Thursday) بِمِيلادِي. سَنَذْهَبُ إِلى السِّينِما.

4. أَنا زَهْراء، .... (my birthday) يَوْم .... (next Saturday). دَعَوْتُ صَدِيقاتِي إِلى .... (party) مِيلادِي فِي بَيْتِي.

.... (they) سَيَأْتِينَ إِلَى الحَفْلَةِ .... (afternoon).

5. مَرْحَباً .... (I am) بَسّام، .... (my little brother) رامِي عُمْرُهُ ثَماني سَنَواتٍ. .... (Friday) هُوَ يَوْمُ مِيلادِهِ. .... (He is younger than me) بِسَنَتَيْنِ.

5) صِفْ كُلَّ صُورَةٍ بِجُمْلَةٍ مُسْتَعِيناً بِالكَلِمات:

Describe the pictures by making sentences, using the words:

هُم
بِيَوْمِ ميلادِهِم
صَدِيقَتِي
السِّينِما
يَذْهَبون
أَحْتَفِلُ
بِيَوْمِ مِيلاد
حَفْلَة مِيلادِي
دَعَوْت
يَحْتَفِلون
أُخْتايَ التَّوْأَمان
إِلَى

هُم يَحْتَفِلونَ بِيَوْمِ مِيلادِهِم.

1. ....

2. ....

3. ....

6) غَيِّري الـجُمْلةَ وِفْقاً لِـما فِي داخِلِ الأَقْواسِ (إتبِعي الـمِثالَ):

Change the sentences according to the brackets (follow the example):

أَنا أَحْتَفِلُ بالعِيدِ. (أَنتَ ، أَنْتُما ، هُم ، أَنْتُنَّ ، نَـحْنُ)

أَنتَ تَـحْتَفِلُ بِالعِيدِ / أَنْتُما تَـحْتَفِلانِ بِالعِيدِ / هُم يَـحْتَفِلُونَ بِالعِيدِ /

أَنْتُنَّ تَـحْتَفِلْنَ بِالعِيدِ/ نَحْنُ نَـحْتَفِلُ بالعِيدِ

1. هُوَ يَذْهَبُ إلى البَيْتِ. (هِيَ ، هُنَّ ، أَنتَ ، أَنْتُم)

....
....

....
....

2. أَنا أَكْتُبُ الواجِبَ. (هُما ، أَنتِ ، أَنْتُما ، نَحْنُ)

....
....

....
....

3. هُم سَيَجْلِبُونَ لِي هَدِيَّةً. (هُوَ ، أَنْتُنَّ ، أَنْتُم ، هُنَّ)

....
....

....
....

15 أَلْعابِي الإِلِكْتْرُونِيَّة

القِراءة

Reading

فاتِن: مَرْحَباً عَبِير، أُنْظُرِي ماذا أَهْدى لِي والِدِي فِي يَومِ مِيلادِي!

عَبِير: هذا جِهاز آي باد جَمِيل، بِالتَّأْكِيد أَنْتِ مَشْغُولَةٌ بِاللَّعِبِ بِهِ، وَلا تَتْرُكِيهِ لَحْظَةً واحِدَةً، أَلَيْسَ كَذلِك؟

فاتِن: لا، لا . لا أَلْعَبُ بِهِ إلّا بَعْدَ أَنْ أَنْتَهِيَ مِن عَمَلِ واجِباتِي المَدْرَسِيَّةِ. يَقُولُ أَبِي إِنَّ اللَّعِبَ الكَثِيرَ بِهذِهِ الأَجْهِزَةِ يَجْعَلُكِ مُدْمِنَةً عَلَيْها. هذا صَحِيحٌ، إِنِّي أَهْتَمُّ بِدُرُوسِي وَلا أُرِيدُ أَنْ أُضَيِّعَ وَقْتِي بِاللَّعِبِ الكَثِيرِ. أَيْضاً أُرِيدُ أَنْ يَرضى والِدِي عَلَيَّ!

جَمِيل: كَيْفَ حالُكَ يا طارِق؟ وَما هذا الَّذِي بِيَدِكَ؟

طارِق: أَنا بِخَيْر. هِيَ لُعْبَةُ البْلَي سَتِيْشِن، أَهْداها لِي أَخِي الكَبِيرُ،

لِأَنّي نَـجَحْتُ فِي الإِمْتِحانِ وَحَصَلْتُ على عَلاماتٍ عالِيَةٍ فِي جَمِيعِ الدُّرُوسِ.

جَمِيل: جَمِيلٌ أَنْ يَشْتَرِي لَكَ أَخُوكَ الكَبِيرُ هَدِيَّةً غالِيَةَ الثَّمَنِ كَهذِهِ. وَلكِن لا أَعْتَقِدُ أَنَّكَ سَتَحْصَلُ على عَلاماتٍ عالِيَةٍ فِي هذِهِ السَّنَةِ أَيْضاً!

طارِق (يضحك): لا، أَنْتَ مُخْطِئٌ! هذِهِ اللُّعْبَةُ لَنْ تُلْهِيَنِي عَن دُرُوسِي أَبَداً. أَنا وَعَدْتُ أَخِي الكَبِيرَ أَنْ لا أَلْعَبَ بِها إِلّا بَعْدَ أَنْ أَنْتَهِيَ مِنْ واجِباتِي، وَأَنا عِنْدَ وَعْدِي.

جَمِيل: هذا شَيءٌ رائِعٌ.

سَحَر: ما رَأْيُكِ بِهاتِفِي النَّقّالِ؟

سُوزان: جَمِيل. وَلكِنْ مِنْ أَيْنَ هُوَ؟

سَحَر: هُوَ هَدِيَّةُ أُمِّي بِيَوْمِ مِيلادِي. سَمَحَتْ لِي أُمِّي أَن آخُذَهُ مَعِي إِلى الـمَدْرَسَةِ، وَلكِن بَعْدَ أَنْ أَعُودَ أُغْلِقُهُ

ولا أَفتَحُهُ إلى الصَّباحِ. أُمّي وأَبي يقولان أَنَّ اسْتِعْمالَ الهاتِفِ النَّقّالِ بِكَثْرَةٍ خَطيرٌ على صِحَّتِنا؛ وَهُوَ أَيْضاً يَشْغَلُني عَن دُروسي.

سُوزان: هذِهِ فِكْرَةٌ جَيِّدَةٌ، سَأَفْعَلُ نَفْسَ الشَّيءِ، بِالتَّأْكيدِ هذا سَيُفْرِحُ أُمّي!

التعبير الشفهي

Oral expression

أَجِبْ على الأسئلَةِ شَفَهِيّاً

Answer the questions orally

ماذا (what) أَهدى والِدُ فاتِن لِفاتِن؟ وَلِماذا (why)؟

هَلْ (is) سَيَحْصَل طارِق على عَلاماتٍ عالِيَةٍ هذِهِ السَّنَة؟ وَلِماذا؟

ماذا (what) قالَ والِدُ سَحَر لِسَحَر؟ وَماذا سَتَفْعَلُ سُوزان مَعَ أُمِّها؟

مفردات

Vocabulary

أُنْظُري : you (fem.) look	تَتْرُكيه : you (fem.) leave it
أَهْدى : he (masc.) gave a present	الأَجْهِزَة : the devices (plural)
جِهاز آي باد : I Pad (device)	يَجْعُلُكِ : it makes you (fem.)
بالتأكيد : surely	أَهْتَمّ : I care
مَشْغُولَة : busy (fem.)	يَرضى : (He) is satisfied

I turn it off : أُغْلِقُهُ	will get : سَتَحْصَل
I switch it on : أَفْتَحُهُ	wrong : مُخْطِئ
use : إسْتِعْمال	will not distract me : لَن تُلْهِينِي
dangerous : خَطِير	I promised : وَعَدْتُ
our health : صِحَّتِنا	I finish : أَنْتَهِي
I will do : سَأَفْعَل	She allowed : سَمَحَتْ

عبارات
Expressions

لَحْظَةً واحِدَةً : one moment

أَلَيْسَ كَذلِك؟ : Isn't it?

مُدْمِنَة : addicted (fem.)

أُضَيِّعُ وَقْتِي : I waste my time

عَلاماتٍ عالِيَة : high grades

غالِيَةُ الثَّمَن : expensive

كَهذِهِ : like this

لا أَعْتَقِد : I don't think

عِنْد وَعْدِي : as I promised

شَيءٌ رائِع : wonderful

ما رَأْيُك؟ : What do you think?

الهاتِف النَّقال : mobile phone

أَتَعَلَّمُ أَنَّ حَرْفَ الـجَرِّ يُبَيِّنُ العلاقَةَ بَيْنَ الفِعْلِ قَبْلَهُ وَالإِسْمِ بَعْدَهُ، أَوْ بَيْنَ الإِسْمِ قَبْلَهُ وَالإِسْمِ بَعْدَهُ.

A PREPOSITION is a word used to tell the relation, EITHER between the verb before it and the noun that comes after it, OR the noun before it and the noun that comes after it.

حُرُوفُ الـجَرِّ **Prepositions**	إلى (to) ، على (on) ، فِي (at, in)
	مِن (of, from) ، بِ (with, by)
	عَن (about) ، لِ (for)

before	قَبْلَ	≠ after	بَعْدَ
few	قَلِيل	≠ many	كَثِير
I start	أَبْدَأ	≠ I finish	أَنْتَهِي
evening	الـمَساء	≠ morning	الصَّباح
less	لَيسَ بِكَثْرَة	≠ frequently	بِكَثْرَة

الأضداد
Opposites

Spelling   الإملاء

فاتِن: يَقُولُ أَبِي أَنَّ اللَّعِبَ الكَثِيرَ بِالآي باد يَجْعَلُكِ مُدْمَنَةً عَلَيهِ. وَهذا صَحِيحٌ، إِنِّي أَهْتَمُّ بِدُرُوسِي وَلا أُرِيدُ أَنْ أُضَيِّعَ وَقْتِي بِاللَّعِبِ الكَثِيرِ.

أُنْظُرْ وَاكْتُبْ   Look and write

لُعْبَةَ البَلِي سْتِيْشِن أَهْداها لِي أَخِي الكَبِيرُ، لِأَنِّي نَجَحْتُ فِي الإمْتِحانِ وَحَصَلْتُ على عَلاماتٍ عالِيَةٍ فِي جَمِيعِ الدُّرُوسِ.

التمارين   Exercises

تَمْرِين استِماع   Listening exercise

1) إسْتَمِعْ إلى الْجُمْلَة، وَارسِمْ دائِرَةً حَوْلَ الـجَوابِ الـصَّحِيح داخِلَ الأَقْواس:
Listen to the sentence and draw a circle around the correct answer

1. أَهْدى والِد فاتِن لِفاتِن   (هاتِف نَقّال)   (جِهاز آي باد)

2. طارِق: أَهْدى لِي   (أَبِي)   ،   (أَخِي الكَبِير)   لُعْبَة بْلَي سْتِيشِن.

3. إِسْتِعْمالُ الهاتِفِ النَّقّالِ بِكَثْرَةٍ   (جَيِّد) ، (خَطِير)   على صِحَّتِنا.

4. يَلْعَبُ طارِق البْلَي سْتِيشِن فِي البَيْتِ   (بَعْدَ)   ،   (قَبْلَ)   أَنْ
يَنْتَهِي مِن الواجِبِ المَدْرَسِي.

5. تَفْتَحُ سَحَر هاتِفَها النَّقّال فِي   (الصَّباح) ، (المَساء)

تـمارين كتابة   Writing exercises

2) إِقْرَئِي الفَقَراتِ التّالِيَةَ وَأَكْمِلِي الـجُمَلَ:

Read the following paragraphs and answer the questions:

1. طارِق: لا. أَنْتَ مُخْطِئٌ! هذِهِ اللُّعْبَةُ لَنْ تُلْهِيَنِي عَنْ
دُروسِي أَبَداً. أَنا وَعَدْتُ أَخِي الكَبِيرَ أَنْ لا أَلْعَبَ بِها إِلّا بَعْدَ
أَنْ أَنْتَهِيَ مِنْ واجِباتِي، وَأَنا عِنْدَ وَعْدِي.

– وَعَدَ طارِق أَخاهُ أَنْ ....
....

2. يَقُولُ أَبِي إِنَّ اللَّعِبَ الكَثِيرَ بِالأَجْهِزَة، مِثْلَ الآي باد،
يَجْعَلُكِ مُدْمِنَةً عَلَيْها. إِنِّي أَهْتَمُّ بِدُروسِي وَلا أُرِيدُ أَنْ
أُضَيِّعَ وَقْتِي بِاللَّعِبِ. وَأَيْضاً أُرِيدُ أَنْ يَرْضى والِدِي عَلَيَّ!

- لا تَلْعَب فاتِن بالآي باد بِكَثْرَةٍ لِأَنَّ (because) ....

....

3. سَحَر: سَمَحَتْ لِي أُمِّي أَنْ آخُذَ هاتِفِي النَّقّالَ مَعِي إلى المَدْرَسَةِ، وَلَكِن بَعْدَ أَنْ أَعُودَ أُغْلِقُهُ ولا أَفتَحُهُ إلى الصَّباحِ. أُمّي وأَبي يقولان أَنَّ اسْتِعْمالَ الهاتِفِ النَّقّالِ بِكَثْرَةٍ خَطِيرٌ على صِحَّتِنا؛ وَهُوَ أَيْضاً يَشْغَلُنِي عَن واجِبِي المَدْرَسِيِّ.

- تُغْلِق سَحَر هاتِفَها النَّقّالَ بَعْدَ أَن تَعُودَ مِنَ المَدْرَسَةِ لِأَنَّ (because)

....

....

3) أُكْتُب المَعنى المُقابِلَ بِاللُّغَةِ العَرَبِيَّة لِما بَيْنَ الأَقواس:

Write, in Arabic, the meaning of the words between the brackets:

1. جَميل: ما هذا الَّذِي .... (in your hand)؟

طارِق: هِيَ لُعْبَةُ البْلَي سْتيشِن (gave it as a present)........................ لِي أَخِي الكَبِيرُ، .... (because I) نَجَحْتُ .... (in) الإمْتِحانِ وَحَصَلْتُ على .... (high marks) فِي جَمِيعِ الدُّرُوسِ.

2. لِأَنِّي .... (I care) بِدُروسِي وَ.............. (I do not want)

أَنْ أُضَيِّعَ وَقْتِي.............. (with playing) وَأَيْضاً أُرِيدُ أَن

.... (is satisfied) والِدَيَّ عليَّ!

3. أُمِّي وأَبِي .... (say) أَنَّ اسْتِعْمالَ .... (mobile)

بِكَثْرَةٍ .... (dangerous) على صِحَّتِنا؛ وَهُوَ أَيْضاً

.... (distracting me) .... (from) واجِبِي المَدْرَسِيِّ.

4. سُوزان: هذِهِ فِكْرَةٌ جَيِّدَةٌ، .... (I will do) نَفْسَ الشَّيْءِ،

و................ (surely) هذا سَيُفْرِحُ .... (my mum)!

4) أُكْتُبي حَرْفَ الْجَرِّ الْمُناسِبَ فِي الفَراغ:

Write the suitable preposition in the space:

1. فاتِن: مَرْحَباً عَبِير، أُنْظُرِي ماذا أَهْدى لِي والِدِي .... يَومِ مِيلادِي!

2. . سَمَحَتْ لِي أُمِّي أَنْ آخُذَهُ مَعِي .... المَدْرَسَةِ.

3. لِأَنِّي أَهْتَمُّ ....دُروسِي ولا أُرِيدُ أَنْ أُضَيِّعَ وَقْتِي ....اللَّعِبِ.

4. سُوزان: هُوَ جَمِيلٌ جِداً. ولكِن .... أَيْنَ لَكِ هذا؟

5. لِأَنِّي نَجَحْتُ .... الإِمْتِحانِ وَحَصَلْتُ .... عَلاماتٍ عالِيَةٍ

.... جَمِيعِ الدُّرُوسِ.

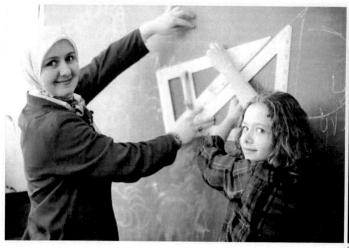

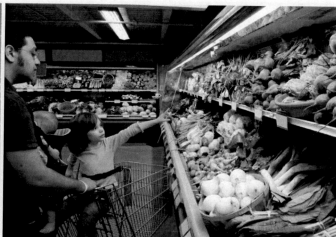

الوحدة السادسة

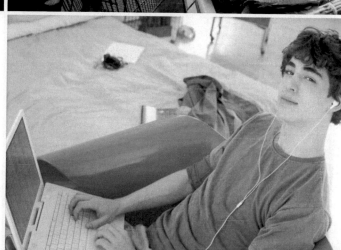

UNIT 6

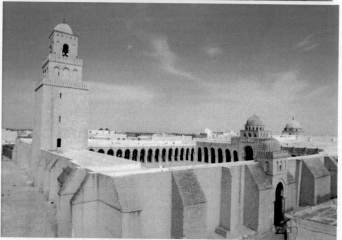

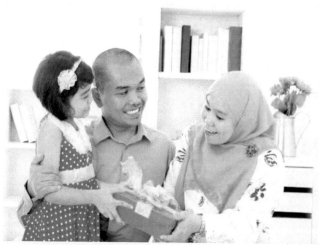

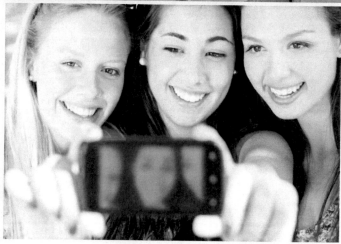

16 أَقارِبي

القِراءة

Reading

إِسْمي نادْيَة، اليَوْمُ هُوَ الأَحَد، وَفي كُلِّ يَومِ سَبْتٍ أَوْ أَحَدٍ يَأْتي أَقارِبُنا لِزيارَتِنا.

إِسْتَيْقَظْتُ صَباحاً باكِراً لِأَتَـهَيّأَ لاسْتِقْبالِ الضُّيُوفِ - عَمّي سالِمٌ وَزَوْجَتُهُ وَابْنَتُهُم رانِيَة، وَعَمَّتي أَمينَةٌ وَزَوْجُها وَابْنُهُم سامِر، وَخالي خالِدٌ أَيْضاً، وَخالَتي لَيْلى وَزَوْجُها وَابْنَتُهُم هُدى. إِتَّصَلَ عَمّي قَبْلَ قَليلٍ، هُوَ في طَريقِهِ إِلَيْنا.

دَخَلْتُ غُرْفَتي وَرَتَّبْتُها وَكُنْتُ سَعيدَةً جِدّاً لِأَنّي سَأَقْضي اليَوْمَ مَعَ بِنْتِ خالَتي هُدى وَابْنَةِ عَمّي رانْيَة.

سَمِعْتُ صَوْتَ أُمّي تُناديني، طَلَبَتْ مِنّي أَنْ أُرَتِّبَ غُرْفَةَ جَدّي وَجَدَّتي، وَأَنْ أُساعِدَهُما لِيَتَهَيَّئا.

ثُمَّ دَخَلْتُ المَطْبَخَ لِأُساعِدَ أُمّي في إِعْدادِ الطَّعامِ.

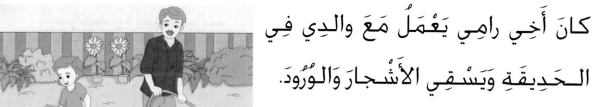

كَانَ أَخِي رَامِي يَعْمَلُ مَعَ وَالِدِي فِي الْحَدِيقَةِ وَيَسْقِي الأَشْجارَ وَالْوُرُودَ.

دَقَّ جَرَسُ الباب، فَتَحْتُ البابَ، دَخَلَ عَمِّي وَزَوْجَتُهُ وَابْنَتُهُم رانْيَة، وَعَمَّتِي أَمِينَة وَزَوْجُها وَابْنُهُم سامِرٌ. قالت أُمِّي لِلْضُّيوفِ:"نَجْلِسُ هُنا أو فِي الْحَدِيقَةِ".

جَلَسَ الْجَمِيعُ على الأَرِيكَةِ فِي الْحَدِيقَةِ. كانَ مَنْظَرُ الْحَدِيقَةِ جَمِيلاً جِدّاً – الْوُرُودُ الْمُلَوَّنَةُ وَالأَشْجارُ الْخَضْراءُ العالِيَةُ. كانَ الْجَوُّ صَحْواً وَالشَّمْسُ مُشْرِقَةً.

بَعْدَ نِصْفِ ساعَةٍ دَقَّ جَرَسُ الباب، جاءَ خالِي خالِدٌ، وَخالَتِي سُعادُ وَزَوْجُها وَابْنَتُهُم لَيْلى. جَلَسْنا نَتَحَدَّثُ وَنَضْحَكُ.

ثُمَّ جاءَ وَقْتُ الغَداءِ، جَلَسْنا سَوِيَّةً حَوْلَ مائِدَةِ الطَّعامِ. كانَ يَوْماً مُمْتِعا وَجَمِيلاً. ما أَجْمَلَ لِقاءَ الأَقارِبِ!

التعبير الشفهي

Oral expression

أَجِبْ على الأسئلَةِ شَفَهِيّاً

Answer the questions orally

لِماذا اسْتَيْقَظَتْ نادِيَةُ باكِراً؟ / ماذاطَلَبت الأُمُّ مِن نادِيَة؟

ماذا كانَ يَعْمَلُ رامِي فِي الحَدِيقَةِ؟ / كَيْفَ كانَ الْجَوُّ فِي ذلكَ اليَوم؟

مفردات

Vocabulary

her husband : زَوْجُها	(They/He) come/comes : يأتِي
their son : إِبْنُهُم	our relatives : أَقارِبَنا
my uncle (mother side) : خالِي	to visit us : لِزِيارَتِنا
my aunt (mother side) : خالَتِي	I woke up : إِسْتَيْقَظْتُ
(He) called : إِتَّصَلَ	to get ready : لِأَتَهَيّأ
to us : إِلَيْنا	to welcome : لِاسْتِقْبالِ
because I : لِأَنّي	the visitors : الضُّيُوف
I will spend : سَأَقْضِي	my uncle (father side) : عَمّي
(she) is calling me : تُنادِينِي	his wife : زَوْجَتُهُ
my grandfather : جَدّي	their daughter : ابْنَتُهُم
my grandmother : جَدَّتِي	my aunt (father side) : عَمَّتِي

(We) sit : نَجْلِسُ	I help them : أُساعِدُهُما
the sofa : الأَرِيكَة	to prepare (they; dual) : لِيَتَهَيَّئا
(We) talk : نَتَحَدَّث	(He) works : يَعْمَل
(We) laugh : نَضْحَك	(He) waters : يَسْقِي
around : حَوْلَ	(It) rang : دَقَّ
meeting : لِقاء	(She) opened : فَتَحَتْ

Saturday or Sunday : سَبْتٍ أَو أَحَدٍ

a little while ago : قَبْلَ قَلِيل

on his way : فِي طَرِيقِهِ

I heard (the) voice (of) : سَمِعْتُ صَوْتَ

She asked me (to do) : طَلَبَت مِنِّي

عبارات
Expressions

preparing : إِعْداد

the weather was clear : الجَوُّ صَحواً

the sun was shining : الشَّمسُ مُشْرِقَةً

after half an hour : بَعْدَ نصفِ ساعَة

then it's time for lunch : ثُمَّ جاءَ وَقْتُ الغَداء

We sat together : جَلَسْنا سَوِيَّةً

the dining table : مائِدَةِ الطَّعام

مُـمْتِعاً : enjoyable

جَـمـيـلاً : beautiful

ما أَجْـمَلَ : how beautiful

أَتَعَلَّمُ أَنَّ حُرُوفَ الْعَطْفِ هِيَ حُرُوفٌ تَرْبِطُ كَلِماتٍ أَو جُمَلاً تَشْتَرِكُ فِي شَيءٍ مُعَيَّنٍ.

I learn that the conjunctions are used to connect words or sentences that have common thing(s).

حُرُوفُ الْعَطْف
Conjunction

جاءَت عَمَّتِي وَزَوْجُها وَابْنُهُم

كانَ الْـجَّوُ صَحْواً وَالشَّمْسُ مُشْرِقَةً

ساعَدْتُ جَدِّي وَجَدَّتِي ثُمَّ دَخَلْتُ الـمَطْبَخَ

جَلَسْنا سَوِيَّةً نَتَحَدَّثُ، ثُمَّ جاءَ وَقْتُ الغَداءِ

فِي كُلِّ يَومِ أَحَدٍ أَوْ سَبْتٍ يَأْتِي أَقارِبُنا لِزِيارتِنا

نَـجْلِسُ هُنا أو فِي الـحَدِيقَةِ

---

late	مُتَأَخِّراً	≠	باكِراً early
after	بَعْدَ	≠	قَبْلَ before
the low	الواطِئَة	≠	العالِيَة the high

الأضداد
Opposites

الإملاء Spelling

دَخَلْتُ غُرْفَتِي وَرَتَّبْتُها وَكُنْتُ سَعِيدَةً جِدّاً لِأَنِّي سَأَقْضِي اليَومَ مَعَ بِنتِ خالَتِي هُدى وابْنَةِ عَمِّي رانيَة. رَتَّبْتُ غُرفَةَ جَدِّي وَجَدَّتِي وَساعَدتُهُما لِيَتَهَيَّئا.

أُنظُر وَاكتُب Look and write

جَلَسْنا سَوِيَّةً حَوْلَ مائِدَةِ الطَّعامِ. كانَ يَوماً مُمْتِعاً وَجَمِيلاً.

ما أَجْمَلَ لِقاءَ الأَقارِبِ!

Exercises التمارين

Listening exercise تمرين استماع

1) إِقْرَأْ السُّؤال، ثَمَّ اسْتَمِعْ إلى الجواب وَاكتُبْ رَقْمَ الْجوابِ الصَّحِيحِ في الـمُرَبَّعِ أَمامَ الْجُمْلَةِ:

Read the question then listen to the answers and write the number of the correct answer in the box:

1) نادية: فِي كُلِّ يومِ ☐ يَأْتِي أَقارِبُنا لِزيارتِنا.

2) طَلَبَتْ الأمُّ مِن نادية أَنْ ☐ جَدَّها وَجَدَّتَها.

3) كانَ أَخِي رامِي يَعْمَلُ مَعَ ☐ .

4) تقول نادية: كُنْتُ سَعِيدَةً جِدّاً لِأَنِّي سَأَقْضِي اليومَ مَعَ ☐ .

5) إِسْتَيْقَظَتْ نادِيَةُ صَباحاً باكِراً ☐ .

Writing exercises تمارين كتابة

2) رَتِّبِي الكَلِماتِ التّالِيَةَ لِتُكَوِّنَ جُمْلَةً وَأَكْتُبِيها فِي الفَراغِ:

Arrange the following words in order to make sentences and write them in the spaces below:

1. قالت أُمِّي - هُنا - فِي الحديقَةِ" - أَو - "نَجْلِسُ - لِلضُّيُوفِ

2. وَخالَتِي سُعاد - جاءَ - خالِي خالِدٌ - دَقَّ - وَزَوْجُها - جَرَسُ البابِ - وَابْنَتُهُم لَيْلى

----

3) أُكْتُب المَعنى المُقابِلَ بِاللُّغَةِ العَرَبِيَّة لِما بَيْنَ الأَقواس:

Write, in Arabic, the meaning of the words between the brackets:

1. .... (we sat together) حَوْلَ مائِدَةِ الطَّعامِ. كانَ يَوماً

.... (enjoable) وَجَميلاً.

2. كانَ الجَّوُ .... (clear) وَالشَّمْسُ .... (shining).

3. .... (I woke up) صَباحاً باكِراً ....

(to get ready) لِاسْتِقْبالِ الضُّيُوف.

4. .... (I heard) صَوْتَ أُمِّي .... (she's calling me). طَلَبَتْ

مِنِّي أَنْ .... (tidy up) غُرْفَةَ جَدِّي وَجَدَّتِي وَأَنْ ....

(help them) لِيَتَهَيَّئا.

5. دَقَّ جَرَسُ البابِ، .... (I opend the door) دَخَلَ عَمِّي

.... (and his wife) وَابْنَتُهُم رانْيَة، وَ...............................

(my aunt) أَمِينَة وَزَوْجُها وَ...................... (their son) سامِرٌ.

6. .... (my mother said) لِلْضُّيُوفِ: "...............................

(we sit) هُنا .... (or) فِي الحَدِيقَةِ".

4) أُكْتُبي رَقْمَ الصُّورَةِ المُناسِبَةِ فِي الفَراغ:

Write the number of the suitable picture in the space:

4

3

2

1

1. طَلَبَتْ مِنّي أَنْ أُرَتِّبَ غُرْفَةَ جَدّي وَجَدَّتي وَأَنْ أُساعِدَهُما لِيَتَهَيَّئا ....

2. جَلَسْنا سَوِيَّةً حَوْلَ مائِدَةِ الطَّعامِ. كانَ يَوماً مُمْتِعاً وَجَميلاً. ....

3. أَخي رامي مَعَ والِدي فِي الحَديقَةِ وَيَسْقِي الأَشْجارَ وَالوُرُود. ....

4. إِسْتَيْقَظْتُ صَباحاً باكِراً لِأَتَهَيَّأ لِاسْتِقْبالِ الضُّيُوفِ. ....

5) إخْتارِي الفِعْلَ الـمُناسِبَ وَاكْتُبِيهِ فِي الفراغِ:

Fill in the spaces with the suitable verbs from the list:

سَبَحَ - إِسْتَيْقَظَتْ - جَلَسَ - دَقَّ - طَلَبا - تَتَهَيّأَ - ذَهَبَت - يَنْتَظِرَ

1. .... الوَلَدانِ فِي الـمَقْهى وَ............ كَعْكَةَ الشُوكولاتَه.
2. وَقَفَ التِّلْمِيذُ أَمامَ البَيْتِ لِـ............ الباصَ.
3. .... جَرَسُ البابِ، جاءَ خالِي وَزَوْجَتُهُ.
4. .... العائِلَةُ إِلى بَيْرُوت.
5. .... أَخِي وَأَصْدِقاؤُهُ فِي الـمَسْبَحِ.
6. .... لِينَة باكِراً لِـ............ لِلْحَفْلَةِ.

6) أُكْتُبْ حَرْفَ العَطْفِ الـمُناسِبَ فِي الفراغِ:

Write the suitable conjunction in the space:

1. فِي كُلِّ يَوْمِ سَبْتٍ .... أَحَدٍ يَأْتِي أَقارِبُنا لِزِيارَتِنا.
2. أُرَتِّبُ غُرْفَةَ جَدِّي وَجَدَّتِي، .... أَدْخُلُ الـمَطْبَخَ لِأُساعِدَ أُمِّي.
3. إِخْتارِي مَكاناً واحِداً نَذْهَبُ إِلَيه: السِّينَما .... السُّوقِ.
4. أَخِي رامِي يَعْمَلُ مَعَ والِدِي فِي الـحَدِيقَةِ .... يَسْقِي الأَشْجارَ .... الوُرُودِ.
5. دَخَلَتْ هُدى الغُرْفَةَ .... رانْيَة، .... أَنا بَعدَ ساعَةٍ.

17 أَصُومُ رَمَضان

القِراءة

Reading

مُـحَمَّد: غداً هُوَ أَوَّلُ يَوْمٍ مِنْ شَهْرِ رَمَضانَ. أُمِّي تُـحَضِّرُ طَعامَ السُّحُورِ.

أَبِي يَجْلِسُ أَمامَ التِّلْفازِ وَهُوَ يُشاهِدُ الـمُسْلِمِينَ يَسْتَقْبِلُونَ هذا الشَّهْرِ الـمُبارَكِ. دَخَلَتْ أُخْتِي آمِنَةٌ إِلى الـمَطْبَخِ لِتُساعِدَ أُمِّي فِي تَحْضِيرِ الطَّعامِ.

قَبلَ وَقْتِ السُّحُورِ طَلَبَتْ أُمِّي أَنْ أَذْهَبَ إِلى شُقَّةِ عَمَّتِي خَدِيجَة الَّتي تَسْكُنُ تَحْتَ شُقَّتِنا لِأَدْعُوها لِتَناوِلِ طَعامِ السُّحُورِ مَعنا. ذَهَبْتُ إِلى شُقَّةِ عَمَّتِي وَدَعَوْتُها. بَعْدَ قَلِيل دَخَلَتْ عَمَّتِي وَهِيَ تَحْمِلُ صَحْنَ حَلْوى لَذِيذاً، وَضَعَتْهُ فَوْقَ الطّاوِلَةِ.

إِنْتَهَت أُمِّي وَأُخْتِي آمِنَةٌ مِن تَحْضِيرِ الطَّعامِ، ثُمَّ جَلَسْنا سَوِيَّةً نَتَناوَلُ طَعامَ السُّحُورِ. بَعْدَ أَن انْتَهَيْنا مِن الطَّعامِ، بَدَأَ والِدِي يَقْرَأُ القُرآنَ وَنَحْنُ نَقْرَأُ مَعَهُ.

ثُمَّ حانَ وَقْتُ صَلاةِ الفَجْرِ. وَقَفَ والِدي يُصَلّي وَوَقَفْنا نُصَلّي خَلْفَهُ. بَعْدَ أن انْتَهى أَبي مِنَ الصَّلاةِ جَلَس على سِجّادَتِهِ يَدْعُو اللهَ أَنْ يَجْعَلَ شَهْرَ رَمَضانَ شَهْرَ خَيْرٍ وَبَرَكَةٍ على الـمُسْلِمينَ فِي العالَمِ.

ذَهَبْتُ إلى غُرْفَتِي وَنِمْتُ فِي فِراشِي وَأَنا سَعيدٌ جِدّاً لِأَنّي بَدَأْتُ بِصيامِ أَوَّلِ يَوْمٍ مِن شَهْرِ رَمَضان.

صَباحَ اليَوْمِ التّالِي ذَهَبْتُ إلى الـمَدْرَسَةِ وَالْتَقَيْتُ بِصَديقِي طارِق. قَبْلَ أَنْ يَبْدَأَ الدَّوامُ وَقَفْنا أَمامَ الـمَدْرَسَةِ نَتَحَدَّثُ عَن لَيْلَةِ أَمْس الَّتي كانَتْ لَيْلَةً رائِعَةً.

إِنْتَهى دَوامُ الـمَدْرَسَةِ فِي السّاعَةِ الثّالِثَةِ ظُهْراً، وَعُدْتُ إِلى البَيْتِ. بَعْدَ أَنْ أَكْمَلْتُ صَلاتِي، بَدَأْتُ بِتَحْضيرِ واجِباتِي الـمَدْرَسِيَّةِ وَكانَ الوَقْتُ عَصْراً.

بَعدَ ذلِكَ اسْتَلْقَيْتُ فِي فِراشِي وَرُحْتُ فِي نَوْمٍ عَمِيقٍ. إسْتَيْقَظْتُ على صَوْتِ أُمِّي تُنادِينِي "إسْتَيْقِظْ يا مُحَمَّد، الإفْطارُ بَعْدَ دَقائِقَ!"

جَلَسْنا سَوِيَّةً إلى المائِدَةِ، وكانَ الطَّعامُ لَذِيذاً جِدّاً. ثُمَّ جَلَسْنا فِي المَساءِ نَتَحَدَّثُ وَحَكى كُلٌّ مِنّا كَيْفَ كانَ صِيامُهُ فِي اليَوْمِ الأَوَّلِ. أَحْسَسْتُ بِفَرَحٍ كَبِيرٍ بَعْدَ صِيامِ أَوَّلِ يَوْمٍ مِن رَمَضان... وَبِتناوُلِ طَعامِ الإفْطارِ طَبعاً!

التعبير الشفهي
Oral expression

أَجِبْ على الأسئِلَةِ شَفَهِيّاً

Answer the questions orally

لِماذا كان مُحَمَّدٌ سَعِيداً؟ / لِماذا ذَهَبَ مَحَمَّدٌ إلى شُقَّةِ عَمَّتِه؟

مَنْ أَيْقَظَ مُحَمَّداً مِنَ النَّوْمِ؟ وَلِماذا؟

مفردات
Vocabulary

flat : شُقَّةُ	tomorrow : غَداً
to invite her : لِأَدْعُوها	(He) watches : يُشاهِد
to eat : لِتناوُل	(they) welcome : يَسْتَقْبِلُونَ
(We) talk : نَتَحَدَّث	She entered : دَخَلَتْ
noon : ظُهْراً	plate : صَحْن

I returned : عُدْتُ	sweet : حَلْوى
I finished : أَكْمَلْتُ	(She) put it : وَضَعَتْهُ
I lied down : إِسْتَلْقَيْتُ	(She) finished : إِنْتَهَت
I went (into) : رُحْتُ	preparing : تَحْضِير
evening : مَساء	(He) prays : يَدْعُو
(He) told : حَكى	(He) makes : يَجْعَل
I felt : أَحْسَسْتُ	I met : إِلْتَقَيْتُ

عبارات

Expressions

suhoor (after midnight) food : طَعامُ السُّحُور

the blessed month : الشَّهْرُ المُبارَك

suhoor time : وَقْتُ السُّحُور

a little while ago : قَبْلَ قَلِيل

it's time to : حانَ وَقْتُ

a month of goodness and blessing : شَهْرُ خَيْرٍ وَبَرَكَةٍ

the next day : اليَوْمُ التّالِي

last night : لَيْلَةُ أَمْس

a wonderful night : لَيْلَةٌ رائِعَةٌ

it is/was afternoon : الوَقْتُ عَصْراً

deep sleep : نَوْمٌ عَمِيق

أَتَعَلَّمُ أَنَّ ظُرُوفَ الزَّمانِ هِيَ أَسْماءٌ تَدُلُّ على زَمانِ وُقُوعِ الفِعْلِ مِثْل: قَبْلَ ، بَعْدَ ، فَجْر ، ظُهْر ، عَصْر ، مَساء ، أَمْس ، يَوْم ، غَداً.

أَتَعَلَّمُ أَنَّ ظَرْوفَ المَكانِ هِيَ أَسْماءٌ تَدُلُّ على مَكانِ وُقُوعِ الفِعْلِ مِثْل: فَوْقَ ، تَحْتَ ، أَمام ، خَلْف.

I learn that time adverbs are nouns that tell the time in which an event happens.

I learn that place adverbs are nouns that gives the place in which an event happens.

ظُروفُ الزَّمان
Time adverbs

غَداً هُوَ أَوَّلُ يَوْمٍ مِنَ شَهْرِ رَمَضان

جَلَسْنا مَساءً نَتَحَدَّث

بَعْدَ قَلِيل دَخَلَت عَمَّتِي

صَباحَ اليَوْمِ التّالِي ذَهَبْتُ إلى المَدْرَسَةِ

ظُروفُ المَكان
Place adverbs

وَقَفْنا أَمامَ المَدْرَسَةِ

وَضَعَت عَمَّتِي صَحْنَ الحَلْوى فَوْقَ الطّاوِلَةِ

شُقَّةِ عَمَّتِي تَحْتَ شَقَّتِنا

الأضداد
Opposites

after	بَعْدَ	≠	before	قَبْلَ
over	فَوْقَ	≠	under	تَحْتَ
in front of	أَمام	≠	behind	خَلْفَ
evening	مَساء	≠	morning	صَباح

الإملاء   Spelling

مُحَمَّد: غَداً هُوَ أَوَّلُ يومٍ مِن شَهْرِ رَمَضانَ. قَبْلَ وَقْتِ السُّحُورِ طَلَبَت أُمِّي أَن أَذهَبَ إِلى شُقَّةِ عَمَّتِي خَدِيجَة لِأَدعوها لِتَناوِلِ طَعامَ السُّحُورِ مَعَنا.

أُنظُروَاكتُب   Look and write

جَلَسَ أَبِي على سِجّادَتِهِ يَدْعُو اللهَ أَنْ يَجْعَلَ شَهْرَ رَمَضانَ شَهْرَ خَيرٍ وَبَرَكَةٍ على الـمُسْلِمِينَ فِي العالَمِ.

التمارين   Exercises

تـمـرين استـماع   Listening exercise

1) إِسْتَمِعْ إِلَى الـجُمْلَةِ وَارسِمْ خَطّاً تَحْتَ الـجَوابِ الصَّحِيحِ بَيْنَ الأَقْواسِ:
Listen to the sentences then underline the right answers in the brackets:

1. أَوَّلُ يَوْمٍ مِنَ شَهْرِ رَمَضانَ هُوَ   (أَمْس)   (غَداً)

2. (وَالِدِي)   (عَمِّي)   يَقْرَأُ الْقُرآنَ وَنَحْنُ نَقْرَأُ مَعَهُ.

3. ذَهَبْتُ إِلَى شُقَّةِ عَمَّتِي خَدِيجَة الَّتِي تَسْكُنُ   (فَوْقَ)   (تَحْتَ)   شَقَّتِنا.

4. بَدَأْتُ بِتَحْضِيرِ واجِباتِي الـمَدْرَسِيَّةِ   (بَعْدَ)   (قَبْلَ)   أَنْ أَكْمَلْتُ صَلاتِي.

5. أَنا سَعِيدٌ جِدّاً لِأَنِّي صُمْتُ   (آخِرَ)   (أَوَّلَ)   يَوْمٍ مِن شَهْرِ رَمَضانَ.

6. إِسْتَيْقَظْتُ (لِأُحْضِّرُ واجِبِي الـمَدْرَسِي)   (لِأَنَّ الإِفْطارَ بَعْدَ دَقائِقَ).

تـمارين كتابة Writing exercises

2) إقْرَئي السُّـؤالَ ثُمَّ اخْتاري الْـجَوابَ الصَّحيحَ وَاكتُبيهِ فِـي الفَـراغ:

Read the question, choose the suitable answer and write it in the space:

1. لـماذا دَخَلَت الأُمُّ وَ آمِنَةٌ إلى الـمَطْبَخ؟

....

لِتَحْضيرِ طَعامِ السُّحُورِ | لِتَحْضيرِ طَعامِ الغَداءِ

2. لِـماذا ذَهَبَ مُـحَمَّد إلى شُـقَّةِ عَمَّتِهِ؟

....

لِأداءِ صَلاةِ الفَـجْرِ | لِيَدْعُوها إلى طَعامِ السُّحُورِ

3. نامَ مُحَمَّدٌ فِي فِراشِهِ وَهُوَ سَعِيدٌ جِدّاً. لِـماذا؟

....

سَيَلْتَقِي بِصَديقِهِ طارِق | بَدَأَ بِصيامِ أوَّلِ يَوْمٍ مِن شَهْرِ رَمَضان

4. جَلَسَ الأَب أَمامَ التِّلْفازِ لِيُشاهِدَ الـمُسلِمينَ؟

....

وَهُم يَسْتَقْبِلُونَ شَهْرَ رَمَضان | وَهُم يَحُجُّونَ حَوْلَ الكَعْبَة

3) أُكْتُب الـمَعنى الـمُقابِلَ بِاللُّغَةِ العَرَبِيَّة لِـما بَيْنَ الأَقواس:

Write, in Arabic, the meaning of the words between the brackets:

1. جَلَسْنا سَوِيَّةً .... (we eat) طَعامَ السُّحُورِ.

2. .... (before) أَن يَبْدَأَ الدَّوامُ وَقَفْنا أَمامَ الـمَدْرَسَةِ. .... (we talk) عَن .... (last night) الَّتي كانَتْ .... (wonderful night).

3. طَلَبَتْ أُمِّي .... (that I go) إِلى شُقَّةِ .... (my aunt) خَدِيجَة الَّتي تَسْكُنُ .... (below our flat) .... (to invite her) لِتَناوِلِ طَعامِ السُّحُورِ مَعَنا.

4. إِنْتَهى دَوامُ الـمَدْرَسَةِ فِي السّاعَةِ الثّالِثَةِ .... (noon). عُدْتُ إِلى البَيْتِ .... (after) أَن .... (I finished my prayer). بَدَأْتُ بِتَحْضِيرِ .... (my homework).

5. .... (I woke up) على صَوْتِ أُمِّي .... (calling me) "إِسْتَيْقِظْ يا مُحَمَّد، الإِفْطارُ بَعْدَ دَقائِقَ!"

4) رَتِّبِي الْـجُمَلَ التّالِيَةَ حَسَبَ تَسَلْسُلِ زَمَنِ حُدُوثِها لِتُكَوِّنِي فَقَرَةً:

Put these sentences in order of time sequence to make a paragraph:

1. وَ هِيَ تَـحْمِلُ صَحْنَ حَلْوى - دَخلَت عَمَّتِي - لَذِيذاً - وَضَعَتْهُ فَوْقَ الطّاوِلَةِ - بَعْدَ قَلِيل

....

....

2. ذَهَبْتُ إلى الـمَدْرَسَةِ - وَقَفْنا أَمامَ الـمَدْرَسَةِ نَتَحَدَّثُ عَنْ لَيْلَةِ أَمْسِ - وَالْتَقَيْتُ بِصَدِيقِي طارِق - الَّتي كانَتْ لَيْلَةً رائِعَةً - قَبْلَ أَنْ يَبْدَأَ الدَّوامُ

....

....

....

3. ثُمَّ حانَ وَقْتُ صَلاةِ الفَجْرِ - وَنَحْنُ نَقْرَأُ مَعَهُ - وَوَقَفْنا نُصَلِّي خَلْفَهُ - بَدَأَ وَالِدِي يَقْرَأُ القُرآنَ - وَقَفَ والدي يُصَلِّي

....

....

5) أُكْتُبْ ظَرْفَ الزَّمانِ وَظَرْفَ الـمَكانِ الـمُناسِبَيْنِ فِي الفِراغ:

Write the appropriate time and place adverbs to fill in the spaces:

لَيْلَة – صَباح – خَلْفَ – أَمامَ – فَوْقَ – تَحْت – بَعْدَ – غَداً – قَبْلَ

1. دَخلَت عَمَّتِي وَهِيَ تَحْمِلُ صَحْنَ حَلْوى لَذِيذاً، وَضَعَتْهُ .... الطّاوِلَةِ.
2. .... هُوَ أَوَّلُ يَوْمٍ مِنَ شَهْرِ رَمَضانَ.
3. وَقَفَ والدي يُصَلِّي وَوَقَفْنا نُصَلِّي ....ـهُ .
4. .... اليَوْمِ التّالِي ذَهَبْتُ إِلى الـمَدْرَسَةِ.
5. .... أَن يَبْدَأَ دَوامُ الـمَدْرَسَةِ وَقَفْنا .... الـمَدْرَسَةِ نَتَحَدَّثُ عَنْ .... أَمْس.
6. .... وَقْتِ السُّحُورِ طَلَبَتْ أُمِّي أَنْ أَذْهَبَ إِلى شُقَّةِ عَمَّتِي خَدِيجَة الَّتِي تَسْكُنُ .... شُقَّتِنا.

6) أُرْبُطِي بَينَ الكَلِمَةِ وَضِدِّها:

Draw a line between each word and its opposite meaning:

بَعْدَ ✵	✵ تَحْت
فَوْقَ ✵	✵ خَلْفَ
أَمامَ ✵	✵ قَبْلَ

18 أُحِبُّ العِيدَ

القِراءة

Reading

إسْتَيْقَظَ الْـجَمِيعُ باكِراً هذا الصَّباحِ. اليَوْمُ هُوَ آخِرُ أَيّامِ شَهْرِ رَمَضانَ وَغَداً العِيدُ!

الأُمُّ فِي الـمَطْبَخِ تَصْنَعُ الـحَلْوى وَكَعْكَةَ العِيدِ. مُـحَمَّدٌ وَ آمِنَةٌ يُنَظِّفانِ وَيُرَتِّبانِ البَيْتَ وَيَتَهَيَّئانِ لِاسْتِقْبالِ العِيدِ.

مُـحَمَّدٌ وَ آمِنَة: أَيْنَ الزِّينَةُ يا أُمِّي؟ نُرِيدُ أن نُعَلِّقَها في غُرفَةِ الْـجُلُوسِ.

الأُمُّ: هِيَ فِي دُرْجِ الـخِزانِةِ فِي الغُرْفَةِ.

دَقَّ جَرَسُ الباب، وَفَتَحَ مُـحَمَّدٌ الباب فَوَجَدَ ساعِي البَرِيدِ يَحْمِلُ ظَرْفاً.

الأُمُّ: مَن دَقَّ جَرَسَ البابِ يا مُـحَمَّد؟

مُـحَمَّد: هُوَ ساعِي البَرِيدِ يا أُمِّي.

الأُمُّ: وَما هذا بِيَدِكَ؟

مُـحَمَّد: هِيَ رِسالَةٌ مِن الْـخارِجِ!

الأُمُّ: مَنْ بَعَثَ لَنا هذِهِ الرِّسالَةَ؟ إِفْتَح الظَّرْفَ يا مُحَمَّد لِنَرى؟

مُحَمَّد: هِيَ مِنْ بَيْرُوت، مِنْ خالِي سَعِيد. إِنَّهُ قادِمٌ إِلَيْنا!

الأُمُّ: ماذا تَقُول؟! مَتى؟

مُحَمَّد: غَداً ظُهْراً؟

الأُمُّ: حَقّاً؟ غَداً؟! هَلْ قالَ كَمْ يَوْماً سَيَبْقى مَعَنا؟

مُحَمَّد: نَعَم، أُسْبُوعٌ واحِدٌ.

الأُمُّ: هذِهِ أَخْبارٌ سارَّةٌ! أَصْبَحَ العِيدُ عِيدَيْن!

بَدَأَ مُحَمَّدٌ وَ آمِنَةٌ يُعَلِّقانِ الزِّينَةَ وَلكِنْ بِحَماسٍ أَكْبَرَ!

فِي صَباحِ يَوْمِ العِيدِ إِسْتَيْقَظَ الْجَمِيعُ باكِراً، وَهَنَّأَ مُحَمَّدٌ وَآمِنَةُ والِدَيْهِما وَقالا: "عِيدٌ مُبارَكٌ". ثُمَّ ذَهَبُوا إِلى المَسْجِدِ لِأَداءِ صَلاةِ العِيدِ.

بَعْدَ انْتِهاءِ صَلاةِ العِيدِ عادُوا إلى البَيْتِ وَتَناوَلُوا طَعامَ الإفْطارِ. ثُمَّ ذَهَبُوا إلى المَطارِ لاسْتِقْبالِ الخالِ سَعِيد.

وَصَلَت العائِلَةُ مَعَ الخالِ إلى البَيْتِ وَكانُوا فَرِحِينَ جِدّاً بِاسْتِقْبالِ ضَيْفِ العِيدِ!

كانَت الحَقائِبُ مَلِيئَةً بِالهَدايا وَالشُّوكُولاتَه اللَّذِيذَة. جَمِيعُهُم فَرِحُوا بِالهَدايا وَشَكَرُوا الخالَ.

سَأَلَت آمِنَةٌ خالَها: لِماذا لا تَأْتِي وَتَعِيشَ مَعَنا هُنا يا خالِي؟

الخال (ضاحِكاً): لا أَسْتَطِيعُ يا عَزِيزَتِي. أَنا أَعْمَلُ هُناك فِي بَيْرُوت مُنْذُ كانَ عُمرُكِ ثَلاثَ سَنَواتٍ!

سَأَلَ مُحَمَّدٌ خالَهُ: كَيْفَ هُوَ العِيدُ فِي بَيْرُوت يا خالِي؟

الخالُ سَعِيد: جَمِيلٌ جِدّاً. وَلكِنَّهُ أَجْمَلُ مَعَ الأَهْلِ وَالأَقارِبِ!

التعبير الشفهي

Oral expression

أَجِبْ على الأسئلَةِ شَفَهِّياً

Answer the questions orally

مَنْ دَقَّ جَرَسَ البابِ؟ / مِنْ مَنْ كانَت الرِّسالَة؟

لِماذا ذَهَبَ الجَميعُ إلى المَسْجِدِ؟ / أَيْنَ ذَهبُوا بَعْدَ ذلِك؟ ولِماذا؟

كَمْ سَيَبْقى الخالُ سَعيد مَعَ العائِلَةِ؟ / مَاذا جَلَبَ لَهُم مِن بَيْرُوت؟

مفردات

Vocabulary

(He/They) greeted : هَنَّأَ	everybody : الجَميع
to perform : لِأَداء	(She) makes : تَصْنَع
the end : إنْتِهاء	drawer : دُرْج
to welcome : لاسْتِقْبال	postman : ساعِي البَريد
guest : ضَيْف	abroad : الخارِج
the bags : الحَقائِب	(He) sent : بَعَثَ
(You/She) come/comes : تَأْتِي	to see : لِنَرى
I cannot : لا أَسْتَطِيع	to us : إِلَيْنا
I work : أَعْمَل	(He) will stay : سَيَبْقى
since : مُنْذُ	(it has) become : أَصْبَحَ

عبارات
Expressions

حَـقّـاً : really

مَـتـى؟ : When?

كَـمْ يَـوْماً؟ : How many days?

أَخْـبارٌ سـارَّة : good news

بِـحَـماسٍ أَكْـبَر : with more enthusiasm

أَتَعَلَّمُ أَنَّ أَسْماءَ الإِسْتِفْهامِ تُسْتَعْمَلُ لِلْسُّؤالِ عَنْ أَمْرٍ مَجْهُولٍ.

مِنْها: ما، مَنْ ، ماذا ، أَيْنَ ، لِـماذا ، مَتى ، كَيْفَ ، كَم ، هَلْ* .

Interrogative Pronouns **are used for asking questions.**

* هَلْ أَداةُ استِفهام (interrogative tool)

أَسْماءُ الإِسْتِفْهام
Interrogatives Asking questions

أَيْنَ الزِّينَةُ يا أُمِّي ؟

مَن دَقَّ جَرَسَ الباب ؟

ما هذا بِيَدِكَ ؟

ماذا تَقُول ؟ مَتى سَيَأْتِي الـخال ؟

هَلْ قالَ كَمْ يَوْماً سَيَبْقى مَعَنا ؟

لِـماذا لا تَأْتِي وَتَعِيشَ مَعَنا يا خالِي ؟

كَيْفَ هُوَ العِيدُ فِي بَيْرُوت يا خالِي ؟

first	أَوَّل	≠	آخِر	last
going	ذاهِب	≠	قادِم	coming
empty	فارِغَة	≠	مَلِيئَة	full

الأضداد
Opposites

الإملاء   Spelling

فِي صَباحِ يَومِ العِيدِ إسْتَيْقَظَ الجَمِيعُ باكِراً، وَهَنَّأَ مُحَمَّدٌ وَآمِنَةُ والِدَيْهُما وَقالا: "عِيدٌ مُبارَكٌ". ثُمَّ ذَهَبوا إلى الى المَسْجِدِ لِأَداءِ صَلاةِ العِيدِ.

أُنْظُرْ وَاكْتُب   Look and write

الأُمُّ فِي المَطْبَخِ تَصْنَعُ الحَلْوى وَكَعْكَةَ العِيدِ. مُحَمَّدٌ وَآمِنَةُ يُنَظِّفانِ وَيُرَتِّبانِ البَيْتَ وَيَتَهَيَّئانِ لِاسْتِقْبالِ العِيدِ.

التمارين Exercises

تمرين استماع Listening exercise

1) إقْرَأْ السُّؤال وَاسْتَمِعْ إلى الجَواب، وَاكْتُبْ رَقْمَ الْجَوابِ الصَّحِيحِ في الفراغِ أَمامَ الْجُمْلَةِ:

Read the question and listen to the answers, then write the correct number in the space:

1 . مُحَمَّدٌ وَ آمِنَةٌ يُعَلِّقانِ الزِّينَةَ (.............)

2. الأُمُّ فِي المَطْبَخِ (.............)

3. حَمَلَ ساعِي البَرِيد (.............)

4. ذهَبُوا إلى المَطارِ (.............)

5. قالَ الخالُ سَعِيد (.............)

تــمارين كـتابة Writing exercises

2) أَرْبُطِي بَيْنَ العِبارَةِ فِي العَمُودِ الأَيْـمَنِ وَما يُناسِبُها فِي العَمُودِ الأَيسَرِ:

Match the questions and answers:

أَيْنَ الزِّينَةُ يا أُمِّي؟	بِالهَدايا وَالشُوكُولاتَه اللَّذِيذَة
مَن دَقَّ جَرَسَ البابِ يا مُحَمَّد؟	بِاسْتِقْبالِ ضَيْفِ العِيدِ !
كانَت الحَقائِبُ مَلِيئَةً	لِأَداءِ صَلاةِ العِيدِ
ذَهَبُوا إِلى المَسْجِدِ	ذَهَبُوا إِلى المَطارِ
كَمْ يَوْماً سَيَبْقى مَعَنا؟	هُوَ ساعِي البَرِيد يا أُمِّي
فَرِحُوا جِدّاً	هِيَ فِي دُرْجِ الخِزانَةِ
بَعْدَ انْتِهاءِ صَلاةِ العِيدِ	أُسْبُوعٌ واحِدٌ

3) رَتِّبْ الجُمَلَ التّالِيَةَ بِحَسَبِ تَسَلْسُلِ زَمَنِ حُدُوثِها لِتُكَوِّنْ فَقَرَة:

Put these sentences in order of time sequence to make a paragraph:

1. مُحَمَّد: مِن خالِي سَعِيد – هِيَ مِن بَيْرُوت – يَقُولُ إِنَّهُ قادِمٌ إِلَيْنا!

الأُمُّ : مَنْ بَعَثَ لَنا هذِهِ الرِّسالَةَ؟ – إِفْتَحْ الظَّرْفَ يا مُحَمَّد لِنَرى؟

....

....

2. أَنا أَعْمَلُ هُناك فِي بَيْرُوت - سَأَلَت آمِنَةٌ خالَها - مُنْذُ كانَ عُمرُكِ ثَلاثَ سَنَواتٍ! - لِماذا لا تَأْتِي وَتَعِيشُ مَعَنا هُنا يا خالِي؟ - الخال: لا أَسْتَطِيعُ يا عَزِيزَتي

....

....

....

3. اليَوْمُ هُوَ آخِرُ أَيّامِ - إِسْتَيْقَظَ الْجَمِيعُ - وَغَداً العِيدُ! - شَهْرِ رَمَضانِ باكِراً هذا الصَّباحِ

....

....

4) أُكْتُبِي المَعنى المُقابِلَ بِاللُّغَةِ العَرَبِيَّة لِما بَيْنَ الأَقْواس:

Write, in Arabic, the meaning of the words between the brackets:

1. الأُمُّ : .... (who sent) لَنا هذِهِ الرِّسالَةَ؟

.... (open) الظَّرْفَ يا مُحَمَّد لِنَرى؟

مُحَمَّد: .... (it's from) خالِي سَعِيد، مِن بَيْرُوت.

.... (He says) إِنَّهُ .... (coming) إِلَيْنا!

2. كانَت .... (bags) مَلِيئَةً .... (with presents)

وَالشُّوكُولاتَة اللَّذيذَة. جَميعُهُم .... (they were happy)

بِالهَدايا وَ............................ (they thanked) الخالَ.

3. .... (they went) إلى المَسْجِدِ لِأداءِ ....

(Eid prayer)، وبَعدَها .... (they ate) طَعامَ الإفْطارِ.

5) إخْتَر إسْمَ الإسْتِفْهام المُناسِبَ وَأكْتُبْهُ فِي الفراغِ:

Choose the correct *istifham* pronoun and write it in the space:

أيْنَ – ماذا – مَنْ – هَلْ – لِماذا – كَيْفَ – مَتى – كَم

1. الأُمّ: .... دَقَّ جَرَسَ البابِ يا مُحَمَّد؟

2. سَأَلَت آمِنَةٌ خالَها: .... لا تَأْتي وَتَعيشَ مَعَنا هُنا يا خالي؟

3. الأُمّ: .... قالَ .... يَوْماً سَيَبْقى مَعَنا؟

4. الأُمّ: .... يَحْمِلُ لَنا ساعي البَريدِ؟

5. مُحَمَّد وَآمنة: .... الزِّينَةُ يا أُمّي نُريدُ أَن نُعَلِّقَها في غُرفَةِ الجُلُوس؟

6. سَأَلَ مُحَمَّدٌ خالَهُ: .... هُوَ العيدُ فِي بَيْرُوت يا خالي؟

7. الأُمّ: .... سَيَأْتي الخال إلَيْنا؟

الإختبار الثالث   Test 3

أَجِبْ عَنِ الأَسْئِلَةِ. صَحِّح الأَجْوِبَةَ وَضَع الدَّرَجَةَ الـمُناسِبَة.

Answer the questions. Mark your answers and fill in your score.

- *Sentences for listening questions 2 and 3 are on the CD; alternatively, the teacher chooses the sentences and says them out aloud for each part of the questions.*
- *(5 marks are for good handwriting).*

1 (أ) إقْرَئِي كُلّاً مِن النُّصُوصِ التّالِيَةِ بِصَوتٍ عالٍ (درجة واحدة)

(ب) أَجِيبِي عَلى الأَسْئِلَةِ شَفَهِيّاً (درجتان):

(a)   Read the following text out loud (1 mark)

(b)   Answer the questions orally (2 marks):

1

عَلِيّ: أَنا مِيلادِي فِي الشَّهْرِ الثّامِنِ، سَيُصْبِحُ عُمْري إِحْدى عَشْرَةَ سَنَةً.

مَرْوَة: سَأَحْتَفِلُ بِيَوْمِ مِيلادِي بَعْدَ أُسْبُوعٍ، سَيُصْبِحُ عُمْري تِسْعَ سَنَواتٍ.

1. مَتى (when) مِيلادُ عَلِيّ؟

2. كَم (how many) سَنَةٍ سَيُصْبِحُ عُمْرُ مَرْوةَ؟

/ 3

2

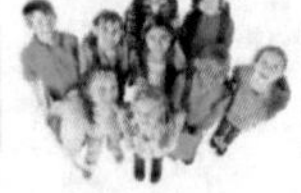

مُؤَيَّد: سَأَحْتَفِلُ مَعَ أَصْدِقائِي يَوْمَ الـخَمِيسِ القادِمِ بِـمِيلادي. سَنَذْهَبُ إِلى السِّينما. هُمْ سَيُحَضِّرُونَ لِي مُفاجَأَةً جَمِيلَةً!

سَمِيرَة: مِيلادِي يَوْمُ الـجُمُعَة. سَأَذْهَبُ مَعَ أَخَوايَ مَحْمُود وَمُهَنَّد وَأُخْتِي رِيـم إِلى الـمَطْعَم. هُمْ سَيَجْلِبُونَ لِي هَدايا جَمِيلَةً!

1. أَيْنَ (where) سَيَذْهَبُ مُؤَيَّدٌ يَوْمَ الـخَمِيسِ؟ وَمَعَ مَن؟
2. مَنْ (who) سَيَذْهَبُ إِلى الـمَطْعَم؟ وَلِـماذا؟

/ 3

3

فاتِن: لا، لا، لا أَلْعَبُ بِـجِهازِ الآي باد إِلّا بَعْدَ أَنْ أَنْتَهِيَ مِنْ عَمَلِ واجِباتِي الـمَدْرَسِيَّةِ. يَقُولُ أَبِي إِنَّ اللَّعِبَ الكَثِيرَ بِهذِهِ الأَجْهِزَةِ يَجْعَلُكِ مُدْمِنَةً عَلَيْها.

طارِق: هِيَ لُعْبَةُ البْلَي سَتِيْشَن أَهْداها لِي أَخِي الكَبِيرُ، لِأَنِّي نَجَحْتُ فِي الإِمْتِحانِ وَحَصَلْتُ على عَلاماتٍ عالِيَةٍ فِي جَمِيعِ الدُّرُوسِ.

1. مَتى (when) تَلْعَبُ فاتِن بِجِهازِ الآي باد؟ وَلِـماذا؟
2. ماذا (what) أَهْدى أُخو طارِق لِطارِق؟ وَلِـماذا؟

/ 3

4

نادِيَة: سَمِعْتُ صَوْتَ أُمِّي تُنادِينِي، طَلَبَتْ مِنِّي أَنْ أُرَتِّبَ غُرْفَةَ جَدِّي وَجَدَّتِي، وَأَنْ أُساعِدَهُما لِيَتَهَيَّئا. ثُمَّ دَخَلْتُ الْمَطْبَخَ لِأُساعِدَ أُمِّي فِي إِعْدادِ الطَّعامِ.

1. لِماذا (why) نادَت الأُمُّ نادِيَة؟
2. لِماذا (why) دَخَلَت نادْيَة الْمَطْبَخَ؟

/ 3

5

مُحَمَّد: قَبْلَ وَقْتِ السُّحُور، طَلَبَتْ أُمِّي أَنْ أَذْهَبَ إِلى شُقَّةِ عَمَّتِي الَّتي تَسْكُنُ تَحْتَ شُقَّتِنا لِأَدْعُوها لِتَناوِلِ طَعامِ السُّحُورِ مَعَنا.
بَعْدَ أَنْ أَكْمَلْتُ صَلاتِي، بَدَأتُ بِتَحْضِيرِ واجِباتِي الْمَدْرَسِيَّةِ وَكانَ الوَقْتُ عَصْراً.

1. ماذا (what) طَلَبَت الأُمُّ مِنْ مُحَمَّد؟ وَمَتى؟
2. مَاذا فَعَلَ مُحَمَّدٌ قَبْلَ تَحضِيرِ واجِباتِهِ الْمَدْرَسِيَّةِ؟

/ 3

6

الأُمُّ : مَنْ بَعَثَ لَنا هذِهِ الرِّسالَةَ؟ إِفْتَح الظَّرْفَ يا مُحَمَّد لِنرى؟
مُحَمَّد: هِيَ مِنْ بَيرُوت، مِنْ خالِي سَعِيد. إِنَّهُ قادِمٌ إِلَيْنا!
بَعْدَ انْتِهاءِ صَلاةِ العِيدِ عادُوا إِلى البَيْتِ وَتَناوَلُوا طَعامَ الإِفْطارِ. ثُمَّ ذَهَبُوا إِلى الْمَطارِ لاسْتِقْبالِ الخالِ سَعِيد.

1. مَن (who) بَعَثَ الرِّسالَةَ؟

2. ماذا (what) فَعَلَت العائلَةُ بَعْدَ صَلاةِ العِيدِ؟

/ 3

2 إِسْتَمِعِي إِلَى الـجُمْلَة، وضَعِي دائِرَةً حَوْلَ الـجَوابِ الصَّحِيحِ داخِلَ الأَقْواسِ:

Listen to the sentence, and draw a circle around the correct answer between the brackets:

1. مِيلادُ أَسْماء فِي الشَّهْرِ (السّابِعِ) (السّادِس)

2. دَعَت زَهْراءُ صَدِيقاتِها إِلَى حَفْلَةٍ (فِي الـمَطْعَمِ) (فِي البَيْتِ)

3. سَحَر تَأْخُذُ هاتِفَها النَّقّال إِلى (الـمَدْرَسَةِ) (بَيْتِ صَدِيقَتِها)

4. جَلَسَ الـجَمِيعُ على الأَرِيكَةِ فِي (غُرْفَةُ الـجُلُوسِ) (الـحَدِيقَةِ)

5. وَقَفْنا نُصَلِّي خَلْفَ والِدِي (صَلاةَ الفَجْرِ) (صَلاةَ الظُّهْرِ)

6. الرِّسالَةُ مِن (الـخال سَعِيد) (العَم سَعِيد)

/ 6

3 إِرسِمِي دائِرَة حَوْلَ الصُّورَةِ الّتِي تُناسِب الـجُمْلَةَ الّتِي تَسْمَعِينَها:

Draw a circle around the picture that suits the sentence you hear:

1

2

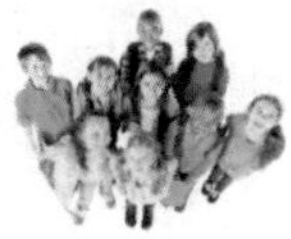

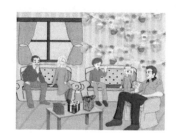

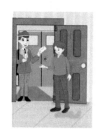

3

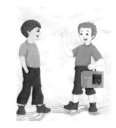

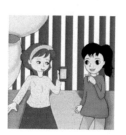

4

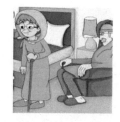

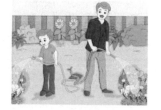

5

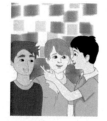

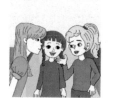

6

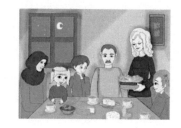

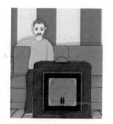

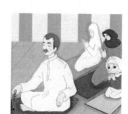

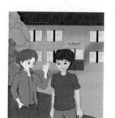

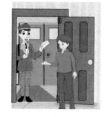

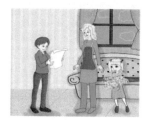

7

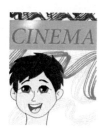

8

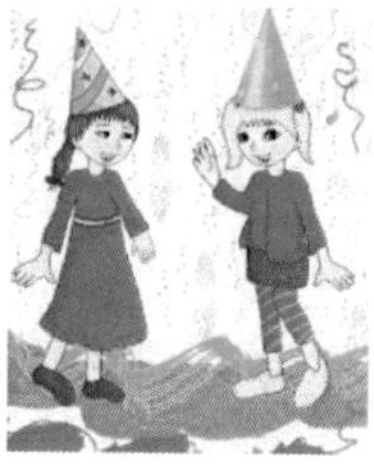

/8

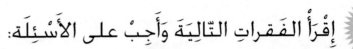

4 إِقْرَأِ الفَقَراتِ التّالِيَةَ وَأَجِبْ عَلى الأَسْئِلَة:

Read each of the following paragraphs and answer the questions:

---

1. شِيرِين: عُمْرِي تِسْعُ سَنَواتٍ. مِيلادِي فِي الأَوَّلِ مِنَ الشَّهْرِ الـخـامِس.

مَتى مِيلادُ شِيرِين؟

....

---

2. بَسّام: يَوْمُ مِيلادِي هُوَ الإِثْنَيْنُ القادِمُ. سَيُصْبِحُ عُمْرِي عَشَرَ سَنَواتٍ.

كَمْ سَيُصْبِحُ عُمْرُ بَسّام؟

....

---

3. دَخَلَت عَمَّتِي وَهِيَ تَحْمِلُ صَحْنَ حَلْوى لَذِيذاً وَضَعَتْهُ فَوْقَ الطّاوِلَة.

ماذا كانَت تَـحْمِلُ العَمَّةُ؟

....

---

4. مُـحَـمَّد وَآمِنَة: أَيْنَ الزّينَةُ يا أُمِّي نُرِيدُ أَنْ نُعَلِّقَها فِي غُرْفَةِ الـجُلُوس؟

الأُمُّ: هِيَ فِي دُرْجِ الـخِزانةِ فِي الغُرْفَة.

أَيْنَ وَضَعَتِ الأُمُّ الزّينَةَ؟

....

5. نادْيَة: الـيَـوْمُ هُـوَ الأَحَـدُ، وَفِـي كُـلِّ يَومِ سَـبْـتٍ أَوْ أَحَـدٍ يَأْتِـي أَقارِبُنا لِـزِيارَتِنا.

مَنْ يَأْتِـي إِلـى بَيْـتِ نادِيَـة يَـوْمَ الـسَّـبْـتِ أَو الأَحَـدِ؟

....

/ 10

5 إخْتَـر الـكَـلِـمَـةَ الـمُـناسِـبَـةَ واكْـتُـبْها فِـي الـفَـراغ، ثُـمَّ أُكْـتُـبْ رَقْـمَ الـجُـمْـلَـةِ فِـي الـمُـرَبَّـع داخِـلَ الـصُّـورَةِ الـمُـناسِـبَـة:

Choose the correct word and write it in the space, then write the number of the sentence in the suitable box:

1. وَقَـفْـنـا أَنـا وَطـارِق أَمـامَ الـمَـدْرَسَـةِ نَـتَـحَـدَّث عَـن .... الَّـتـي كـانَـت لَـيْـلَـةً رائِـعَـةً! (ظُـهْـرِ أَمْـس / لَـيْـلَـةِ أَمْـس)

2. بَـعْـدَ انْـتِـهـاءِ .... عـادُوا إِلـى الـبَـيْـت وَتَـنـاوَلُـوا طَـعـامَ الإِفْـطـارِ. (الـصِّـيامِ / صَـلاةِ الـعِـيـدِ)

3. .... تَـضـيـيعَ وَقْـتِـي بِـالـلَّـعِـبِ الـكَـثِـيـرِ. (لا أُريـدُ / لا أَلْـعَـبُ)

4. .... عَـلِـيٌّ وَبَـهـاءُ وسَـعِـيـدُ مِـيـلادُكُـم فِـي الـشَّـهْـرِ الـثّـامِـنِ. (هُـم / أَنْـتُـم)

/ 8

6 أُكْتُبْ الـمَعنى الـمُقابِلَ لِلْكَلِمَةِ ما بَيْنَ الأَقْواس:

Write the meaning of the words in Arabic between the brackets:

1. جَميلٌ أَن يَشْتَري (to buy) لَكَ أَخُوكَ .... (big) هَدِيَّةً

.... (expensive) كَهذِهِ. وَلكِن لا أَعْتَقِدُ أَنَّكَ سَتَحْصُلُ

على .... (high grades) فِي هذِهِ السَّنَةِ أَيْضاً!

2. .... (We sat) سَوِيَّةً .... (We talk) وَنَضْحَكُ.

.... (then) جاءَ .... (lunch time)، جَلَسْنا حَوْلَ

.... (dining table).

3. مَرْحَباً .... (I am) ياسْمين. .... (We will celebrate) يَوْمَ

الأَحَدِ مَعَ.................... (our relatives) وَأَصْدِقائِنا بِيَوْمِ مِيلادِ

.... (my two young/little sisters) زَيْنَب وَآمِنَة.

4. .... (you) عَلِيٌّ وَبَهاءُ سَيُصْبِحُ عُمْرُكُما إِحْدى عَشْرَةَ سَنَةً! وَ

.... (you) يا أَسْماءُ، .... (when) يَوْمُ مِيلادِكِ؟

/ 15

7 غَيِّري الجُمْلَةَ حَسْبَما في داخِلِ الأَقْواسِ، ثُمَّ اكْتُبي رَقْمَ الجُمْلَةِ تَحْتَ الصُّورَةِ المُناسِبَةِ (إتبعي المِثالَ):

Change the sentence according to the brackets and write the number of the sentence under the suitable picture (follow the example):